Pa que se acabe la vaina

WILLIAM OSPINA

Pa que se acabe la vaina

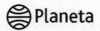

© William Ospina, 2013
© Editorial Planeta Colombiana S. A., 2013
Calle 73 N.º 7-60, Bogotá

Diseño de cubierta: Departamento de Diseño Grupo Planeta
Primera edición: noviembre de 2013

ISBN 13: 978-958-42-3714-9
ISBN 10: 958-42-3714-4

Impreso por Quad/Graphics

Desde hace medio siglo, Colombia vive uno de los conflictos políticos más dramáticos del hemisferio occidental, con cientos de miles de muertos, millones de víctimas y de refugiados internos, millones de migrantes a otros países, y un creciente deterioro del orden institucional que se puede medir por la crisis de la justicia, los niveles escandalosos de corrupción, el número de congresistas y gobernantes que pasan directamente del poder a la celda, los índices de pobreza y de miseria, la inseguridad, la delincuencia, el atraso de la infraestructura y la incapacidad de convertir la indudable riqueza del territorio en algo que beneficie a las mayorías y garantice la prosperidad general.

Lo más alarmante de este fenómeno es lo imperceptible que resulta para el mundo. Colombia es un país que tiene la misma población de Argentina y de España, dos veces el territorio de Francia, y una situación geográfica extraordinaria: con extensos litorales sobre el mar Caribe y el océano Pacífico, con el punto en que se unen las dos mitades del continente, con la región más poblada de la cordillera de los Andes, y con la mitad de su territorio en las praderas fluviales del Orinoco y del Amazonas.

La primera pregunta que uno tiene que hacerse es por qué un conflicto complejo y persistente, en un territorio tan importante para el planeta, con todos los recursos naturales, una asombrosa biodiversidad y las mayores fuentes de agua y de oxígeno, puede resultar tan invisible y tan incomprensible para el mundo.

A lo largo del siglo XX, un mundo que lo sabía todo de Cuba y de Santo Domingo, de Haití y de Jamaica, de Panamá y de las islas Malvinas, no parecía saber nada de Colombia, y tuvo que llegar la novela *Cien años de soledad*, de Gabriel García Márquez, para que en las últimas tres décadas del siglo la gente supiera dónde ubicar este país inquietante y paradójico en el mapa físico y en el mapa espiritual del planeta.

Pero la verdad es que ni siquiera la novela de García Márquez habría logrado visibilizar plenamente al país, y tuvo que ocurrir la novela negra del narcotráfico para que otro costado de esta realidad irrumpiera en el escenario mundial, mostrando, de un modo muy distinto al lenguaje deslumbrante del novelista, los extremos contrastes y la dramática exuberancia de la sociedad colombiana, permitiendo que algunos se pregunten por fin qué es lo que pasa en este punto ciego del continente, qué es lo que ha permitido que la tragedia de cincuenta millones de personas no conmueva como se debe ni a la prensa ni a la opinión pública mundial.

Una de las herencias más crueles del colonialismo consiste en que los países sometidos son obligados a borrar sus diferencias con las metrópolis y a veces tardan siglos en dejar asomar sus rasgos verdaderos. Y la verdad es que las naciones de América Latina sólo se han hecho visibles para el mundo cuando fueron capaces de mostrar su verdadero rostro, su compleja originalidad.

Las potencias europeas pretendieron hacer de México un imperio gobernado por la casa de Habsburgo-Lorena, y eso obligó a la sociedad mexicana a mostrar en el rostro indígena de Benito Juárez la singularidad de todo un pueblo, su firmeza, así como la decisión inexorable de no permitir que su arcilla americana siguiera siendo moldeada por las manos de Europa. Ello a su vez permitió que México ahondara su conciencia de sí con la turbulenta revolución campesina e indígena de comienzos del siglo XX, e incorporara al pueblo a su leyenda nacional en la imagen de los líderes populares Pancho Villa y Emiliano Zapata.

El rostro de Argentina lo dibujaron a la vez esa pampa infinita que durante décadas proveyó de alimentos al mundo, las leyendas de Sarmiento y del gaucho, y la progresión de inmigrantes que hicieron de Argentina no sólo un país europeo sino por momentos el único país rico de Europa, y que le permitieron a Jorge Luis Borges convertirse en "el guardián de las bibliotecas planetarias" y situar el mítico *Aleph* del lenguaje en un sótano de Buenos Aires.

El colombiano es el territorio con menos vocación de unidad que pueda imaginarse. Basta avanzar tres horas en cualquier dirección para encontrarse en un clima distinto, rodeados por una vegetación diferente y con un paisaje de profundidades siempre cambiantes. La mayoría de la población habita en la región andina equinoccial, la de mayor diversidad biológica de la cordillera, y conviene recordar que, como bien dijo Borges deplorando tal vez el mundo llano del sur, "todas las llanuras son iguales pero no hay una montaña igual a otra". Aunque en Latinoamérica es fácil encontrar llanuras tan considerablemente distintas como la pampa argentina y los llanos venezolanos, como el Valle del Cauca y los salares de Bolivia, no deja de ser verdad que el paisaje de las montañas andinas, tan pintoresco en el sentido romántico de que parece que exigiera ser pintado, va cambiando ante nuestros ojos con una rapidez extraordinaria.

En este territorio minuciosamente diverso, ciento veinte naciones indígenas habían logrado desarrollar sus culturas particulares en regiones bien distintas unas de otras: los desiertos de los wayú de La Guajira y las cumbres nevadas de los kogis de la Sierra de Santa Marta, las ciénagas de La Mojana en el país de los zenúes y las selvas lluviosas de los embera catíos del Chocó, las islas de los cunas y el cañón del río Cauca que poblaron los ebéjicos y los pantágoras, las planicies de tierra caliente de los gualíes y los ondamas del Magdalena Medio, las llanuras fluviales de los panches del sur del Tolima y las montañas frías de los nasas y de los guambianos del Cauca, las sierras de esmeraldas de los muzos de Boyacá y el reino de oro de los muiscas de la sabana, el mundo de complejos mitos naturales de los u'was de la sierra del Cocuy, las praderas sin orillas de los sikwanis del Vichada y los bosques floridos de los kamsás del Putumayo, los valles selváticos de los andaquíes y sus páramos tutelares, donde nacen en cruz los grandes ríos, y la selva infinita de las comunidades amazónicas.

Además de los muchos pueblos cuyas culturas siguen vivas, todavía cuentan sus relatos escalonadas ciudades de piedra en las sierras que miran al mar Caribe, mapas de las constelaciones en las piedras de los grandes ríos, la leyenda de los bosques de tumbas de oro del Sinú, la compleja orfebrería de los calimas y los quimbayas, de los zenúes y de Malagana, de los tayronas y los muiscas, la refinada alfarería realista de los tumacos en las cornisas del Pacífico, la ingeniería hidráulica de La Mojana, las necrópolis de Usme, los nichos funerarios de Tierradentro, los jardines megalíticos de San Agustín a la sombra del reino de los andaquíes, los incontables pictogramas rupestres de más de veinte mil años de antigüedad en las sierras de Chiribiquete.

A esa diversidad geográfica se añadió la diversidad étnica: los mestizajes y las mulaterías, lo mismo que las gradaciones y degradaciones que obra sobre un territorio riquísimo la maldición burocrática del centralismo. La idea de una nación unitaria nos fue impuesta por el régimen colonial, pero el principio de una capital autócrata y distante, convertida en centro administrativo y ordenador de la nación, fue una de las consecuencias dramáticas de nuestra historia.

Podría pensarse que nos unían el clima y el ámbito geográfico al que pertenecemos, pero esta es la región donde la geografía se disgrega y los climas se multiplican, donde los elementos de la diversidad étnica y cultural se dispersan, buscando cada uno su nicho más favorable. Por algo los grupos de mayor contenido indígena tendieron a buscar siempre la naturaleza y las orillas de los ríos; por algo los esclavos emancipados de sus amos (pero no de la pobreza ni de la segregación) buscaron los litorales apartados y formaron allí comunidades marcadas a la vez por la pobreza, la solidaridad y la refinada creatividad cultural; por algo los blancos y los mestizos más europeos buscaron siempre las áreas urbanas o los minifundios igualitarios.

A falta de la unidad del territorio, de una identidad étnica o de una leyenda integradora, el papel de unir a los habitantes lo asumió muy temprano un elemento venido de lejos: la lengua. Fue a través de la lengua castellana como se construyó el proyecto de nación que hasta ahora ha mantenido a Colombia unida, a pesar de su diversidad original, de las guerras que cíclicamente desgarraron el territorio y de las mutaciones de proyectos y de costumbres. Pero el relato que construyó la nación y que la mantuvo, si no unida, al menos junta, incluso en los dos siglos últimos, fue el discurso colonial, no erradicado siquiera por la aventura de la Independencia: una interpretación europea de la naturaleza, una interpretación católica del orden social, un discurso republicano imitado de la Revolución francesa y el remedo de unas instituciones nacidas del pensamiento liberal pero asentadas sobre el poder de las castas y de las armas.

Y digo remedo porque en Colombia no se abrió camino jamás el pensamiento liberal que construyó las repúblicas modernas. Todos los países de América Latina fueron incorporados a la modernidad mediante un discurso liberal prestado: el que utilizaron los libertadores para independizarse de España y crear las primeras instituciones autónomas. Pero para que esa vocación fuera auténtica, en todas partes se hicieron necesarias profundas reformas liberales que volvieran realidad, siquiera parcialmente, el discurso.

Es lo que hicieron la reforma de Benito Juárez en México y la de Eloy Alfaro en Ecuador, las reformas de Roca e Irigoyen en Argentina y la revolución de los mineros de Bolivia en 1952. Era preciso incorporar a los pueblos a la leyenda nacional, darle a la ley un fundamento que no fuera la voluntad de la corona española o del código napoleónico, que no fuera sólo la doctrina de la superioridad de la escritura sobre la palabra empeñada.

Porque contra un mundo indígena donde la palabra viva en los labios era la fuente mayor de legitimidad, aquí se impuso de tal manera la letra escrita que muy significativamente los títulos de propiedad terminaron llamándose, en un tono casi bíblico, "la escritura". ¿De qué podía valer la propiedad garantizada solamente por la palabra y por la costumbre ante el poder notarial de "la escritura" y su tremenda capacidad de legitimar el robo y la usurpación?

Parece que hablar de estas cosas fuera retroceder demasiado en la historia del continente, pero la verdad es que estamos hablando de problemas reales y recientes: en Colombia, la propiedad vive hoy conflictos idénticos a los que caracterizaban las tropelías de los conquistadores del siglo XVI. Millones de pequeños propietarios de tierras han vuelto a ser despojados a finales del siglo XX y a comienzos del XXI, como lo habían sido las poblaciones de pequeños propietarios campesinos en la violencia de los años cincuenta, y como lo habían sido antes con las guerras civiles del XIX: expulsados para siempre de sus tierras a través de un fenómeno cuya repetición cada tantas décadas sólo revela que algo esencial de la democracia no logró ser instaurado en nuestro orden social, que el Estado no logró convertirse en verdadero legitimador y protector de la vida y de la propiedad. La violencia, a veces tolerada cuando no patrocinada por el propio Estado, siguió siendo el ominoso manantial del orden legal.

Algunos han sostenido la tesis de que lo que se requiere para corregir ese antiguo drama es un Estado fuerte, que se imponga sobre las violencias de las minorías, pero ya veremos que un Estado fuerte no basta, que se requiere un Estado legítimo, y que para sustentar esa legitimidad no son suficientes los instrumentos formales de la democracia, urnas electorales, jueces, policías, funcionarios y ejércitos, sino una incorporación a la legalidad de la comunidad en su conjunto. Y para incorporarse a la legalidad no basta que todo el mundo se someta a la ley y sea cobijado por ella, es necesario algo más profundo y más sutil: que la comunidad sienta que la ley procede de ella, expresa su voluntad y garantiza sus derechos.

Leer la historia del siglo XIX en Colombia, desde las batallas de la Independencia hasta las batallas de la guerra de los Mil Días, que terminó en 1902, es asistir a la derrota gradual de las ideas liberales y a un fenómeno aún más deplorable, el modo como los que abandonaban esas ideas pretendían seguirlas encarnando, aunque en realidad se plegaban al pensamiento y las costumbres de sus adversarios, e iban, para decirlo con palabras de Emerson, "renunciando a su mundo estrella por estrella".

Hay quien dice que uno de los primeros pasos en esa dirección lo dio nuestro propio padre, Simón Bolívar, quien en un momento dramático de las guerras de Independencia renunció a enfrentarse a las potestades de la Iglesia católica, y por motivos que alguien nos explicará algún día, permitió que la educación clerical se abriera camino en la joven república.

Desde entonces el poder de la Iglesia se afianzó de tal manera, que todos los que intentaron la más importante de las conquistas liberales, la separación entre la Iglesia y el Estado, la instauración del Estado laico y de una educación moderna, libre de las amenazas del oscurantismo y las arbitrariedades de la Inquisición, fueron acallados, desterrados o borrados, hasta el punto de que uno de los más bellos poemas de nuestra tradición literaria, el soneto "Vagué por las desiertas catedrales", de Ñito Restrepo, posiblemente será leído por los colombianos por primera vez en esta página:

Vagué por las desiertas catedrales,
adolescente aún, cuando creía
que el órgano en sus notas me traía
música de regiones celestiales.
Lágrimas de dolor vertí a raudales
al mirar esa cruz en que pendía
el hombre dios que en desgraciado día
murió para salvar a los mortales.
Después huyó la fe de la ignorancia,

un rayo de la luz cruzó el vacío,
y fue la catedral lóbrega estancia,
la música del cielo desvarío,
y Cristo fue una flor cuya fragancia
se llevaron los vientos del estío.

Es significativo que este poema me haya llegado oral-
mente, hace años, salvado por la memoria de un gran liberal,
Álvaro García Cortés; es significativo que, como en tiempos
antiguos, ese orden de palabras lo mantenga vivo la memoria
fiel de un pueblo: sin duda así también estarán escondidas
en la memoria de los colombianos muchas cosas esenciales
para nuestro futuro.

Es importante saber que el liberalismo fue perdiendo
su proyecto histórico desde finales del siglo XIX, para que
entendamos de qué manera los dirigentes que oficialmente se llamaron liberales desde entonces siempre negaron
sus principios en algún momento decisivo de la historia:
renunciaron a la reforma agraria que ellos mismos habían
propuesto en 1930, dejaron la riqueza nacional en manos de
las petroleras norteamericanas, impidieron el triunfo de Gaitán en las elecciones de 1946, se negaron a acompañar a las
muchedumbres rebeldes en 1948, renunciaron a la contienda
electoral en 1950 cuando sólo participar podía salvar al país de
la violencia, patrocinaron la violencia de los años cincuenta y
más tarde abandonaron a los humildes campesinos a los que
habían armado, celebraron con los conservadores un pacto
antidemocrático en 1958 para repartirse el poder por dieciséis
años, renunciaron al deber de llevar por fin a Colombia a la

democracia y a la pluralidad de partidos en 1974 —cuando debía terminar el Frente Nacional—, desmontaron a partir del año 1990 las pocas instituciones que habían demostrado funcionar para la gente en la república bipartidista, ahondaron el viejo hábito de entregarle la economía del país sin protección y sin escrúpulos al mercado mundial, y se fueron convirtiendo en un pequeño partido de delfines que viven de la fama de sus padres y de sus tíos, contabilistas de votos y repartidores de presupuestos, privado ya de toda filosofía y alejado de toda grandeza.

Tanta fue su renuncia que habría que decir que los principales proyectos renovadores, como la incipiente industrialización o el trazado de los ferrocarriles, se debieron más bien a conservadores como Rafael Reyes y Pedro Nel Ospina, y que cuando pretendieron instaurar la república liberal retrocedieron enseguida asustados por la enormidad de sus responsabilidades. Cuando alguien dijo que la principal diferencia entre los partidos colombianos era que los conservadores iban a misa de cinco y los liberales a misa de ocho, no estaba haciendo una broma sino desnudando la esencia de una de las mayores derrotas históricas de la política colombiana.

Hay que reconocer que fue una temeridad de los ideólogos de la Independencia proponer la creación de repúblicas en nuestro continente en el mismo momento en que nacían las repúblicas europeas. Era la evidencia de una avidez por ser contemporáneos, por sincronizar los relojes atlánticos, por superar la incómoda sensación de que, mientras Europa ingresaba en la modernidad, nosotros seguíamos atascados en el barro de esa "Edad Media tardía" que España había traído a América. Y por eso la lucha anticolonial asumió con vehemencia un discurso liberal que, como he dicho, no tenía suficiente asidero en la realidad social de los países.

Ya era difícil construir repúblicas en Europa, donde de todos modos la gente llevaba siglos de convivencia en el territorio de cada país, viéndose, si no como conciudadanos, al menos como miembros de una misma especie; ya era difícil en Europa enfrentar las estratificaciones sociales y superar el desprecio de la aristocracia por el pueblo llano; pero era mucho más difícil fundar repúblicas en un mundo donde los indígenas acababan de padecer siglos de servidumbre, donde imperaba por todas partes la esclavitud de los hijos de África.

Manejar con la cosmovisión europea un territorio apenas arrebatado a los dioses del maíz y de la serpiente era tan absurdo como pretender que aquí imperaría el mismo catolicismo de los españoles y de los italianos. No, la diferencia era enorme: aquí trajeron un catolicismo para indios y para esclavos, no para cristianos que se consideraran iguales, y los predicadores que dilataron por estas tierras el imperio de la fe lo implantaron con la mayor severidad, tratando de borrar día tras día las creencias nacidas del territorio y de la larga familiaridad con sus secretos.

Digamos que en el aprendizaje de la modernidad, sin olvidar todas las tareas propias de nuestra memoria y de nuestro suelo, nos tocaba avanzar a otro ritmo, lograr en años lo que otros habían hecho en décadas, y fingir que era posible tener ciudadanías modernas sin ese proceso de acumuladas conquistas que marcó la aventura europea: sin los debates teológicos de la Edad Media, sin la libertad mental del Renacimiento, sin las conquistas del retrato y de la perspectiva, sin que hubiera salido de nosotros una mirada filosófica sobre la propia conciencia como las que arrojaron Descartes o Montaigne, sin las controversias de la Ilustración, sin las ilusiones del buen salvaje, sin esa tempestad igualitaria que creció en Francia desde las sonrisas irónicas de Voltaire hasta "los collares de sangre" del terror, sin el proceso que creó en amplios sectores europeos la expectativa de una nueva edad y de una nueva dignidad para los individuos.

También en los Estados Unidos el punto ciego de la construcción de la república fue la actitud hacia los esclavos y hacia los indios: allí se detenía bruscamente el discurso de la igualdad y de los derechos humanos. Pero los nativos habían sido casi exterminados y los esclavos eran una minoría frente a la masiva inmigración de europeos, por eso pudo abrirse camino una teoría de la igualdad ante las instituciones que intentó ser confirmada en lo posible con el formidable esfuerzo liberal de Abraham Lincoln.

Los Estados Unidos asumieron temprano el reconocimiento del territorio y su poética apropiación, su incorporación a la sensibilidad de un pueblo, como podemos advertirlo en los salmos torrenciales de Whitman, en los poemas de Emily Dickinson, y tiempo después en el hermoso poema "El regalo pleno", que Robert Frost escribió para la ceremonia de posesión de John Kennedy, hace cincuenta años:

Esta tierra fue nuestra
antes de ser nosotros de esta tierra,
fue nuestra más de un siglo
antes de convertirnos en su gente,
fue nuestra en Massachusetts, en Virginia,
pero éramos colonos de Inglaterra,
poseyendo unas cosas que aún no nos poseían,
poseídos de aquello que ya no poseíamos.
Algo que nos negábamos a dar gastaba nuestra fuerza,
hasta entender que ese algo fuimos nosotros mismos,
que no nos entregábamos al suelo en que vivíamos,
y desde aquel instante fue nuestra salvación el entregarnos.
Nos dimos plenamente, tal como éramos,
esa hazaña de darse *fue como hazañas múltiples de guerra,*
a esta tierra, mirando vagamente al oeste,
pero aún sin historia, sin arte, sin refuerzos,
tal como era entonces
y ya con todo aquello que sería.

Aquí, a pesar del esfuerzo desmesurado y espléndido de Juan de Castellanos, nos quedó pendiente la tarea de conocer el territorio, de reconocernos en él, y de construir una economía y una política a partir de ese conocimiento. También, por supuesto, la tarea de construir un discurso religioso que verdaderamente dignificara a indios y a esclavos, reconociendo su tipo y sus costumbres, los horizontes míticos e históricos de donde procedían, la hondura de su propio pasado y la riqueza con que sus lenguajes habían descifrado este mundo.

Durante la guerra de Independencia hubo dos momentos en que el pensamiento generoso de los libertadores y su proyecto de una edad nueva de libertad y de justicia chocaron con dificultades casi insuperables. Ni siquiera Bolívar, el hombre más ilustrado y comprensivo que tuvo aquella época, logró entender plenamente lo que significaba su conflicto con Piar en el Orinoco y su conflicto con Agualongo en el sur de Colombia. Terminó resolviendo de un modo bárbaro dos de los problemas centrales de su tiempo.

A pesar de sus contradicciones, Piar planteaba el tema de la esclavitud: negros y mulatos advirtieron que la Independencia era ante todo la lucha de los criollos por heredar el continente de los españoles. Por eso, aunque Bolívar liberó a sus esclavos, cumpliendo la promesa que le había hecho al presidente Petion en Haití, no pudo lograr que todos esos dueños de esclavos —cuyo apoyo era indispensable para la causa— les dieran la libertad, para demostrar en la práctica que aquella no era sólo una revolución contra los peninsulares, sino contra la desigualdad y la injusticia. A medida que avanzábamos en la expulsión de los enemigos, las esperanzas de los esclavos se iban postergando hasta cuando las condiciones fueran favorables para la abolición, y en todo el continente eso apenas ocurrió dos generaciones después.

Piar pareció comprender hacia dónde iban las cosas, o aprovechó ese malestar indudable, y se opuso de tal manera al avance del proceso revolucionario que el Estado Mayor lo condenó a muerte, y Bolívar, que era su amigo, aceptó firmar la sentencia. Todavía, en las regiones centrales de Venezuela, muchas gentes que respetan y aman a Bolívar siguen rindiendo homenaje a Piar, y no lo ven sólo como el gran liberador del Orinoco sino como un mártir de la lucha contra la esclavitud.

En el sur de Colombia la gente ama a Agualongo: el gran luchador que comprendió que con los criollos, durante mucho tiempo, los indios lo pasarían más mal que con los españoles. Éstos, después del pavoroso exterminio inicial, habían desarrollado una legislación más benévola hacia los nativos, y en cambio los criollos, a pesar de las buenas intenciones de los jefes, no podrían impedir que la discriminación y la exclusión fueran por siglos la herencia de las repúblicas.

Si Agualongo, vocero del mundo indio, de la voz de la tierra, de la importancia de la provincia y de sus singularidades, hubiera triunfado, acaso la independencia no habría sido posible, porque los plazos de la guerra son inexorables, y la odiosa dominación colonial se habría prolongado por mucho tiempo. De modo que para el continente fue una suerte que Bolívar se abriera camino hasta Quito, y continuara su campaña hasta derrotar a España en Junín y Ayacucho, y expulsar a sus ejércitos del continente. Pero algo muy noble en la defensa del mundo indígena y de los secretos del territorio fue sacrificado allí, una deuda de respeto y de dignidad con los pueblos nativos quedó pendiente mucho tiempo en Colombia, y sigue siendo uno de los desafíos de nuestra incorporación en la modernidad.

Por fortuna, esta época nos enseña cada vez más que a medida que el mundo se globaliza esto no puede significar el olvido de las regiones y de la voz del lugar, sino todo lo contrario: un reencuentro del lugar con el mundo, un diálogo más complejo en el que tendrán que escucharse las voces de todas las regiones. Todos hemos visto que uno de los efectos de la globalización es que hace más visible cada lugar del planeta. En la lucha por la preservación del agua planetaria, cada vez será más evidente que la protección de los grandes océanos supone la limpieza de los ríos, que la protección de los ríos a su vez impone el cuidado de los más pequeños arroyos, y que en la raíz de la defensa de los grandes sistemas del agua global está la pureza de los manantiales.

Sólo vista así puede apreciarse esa generosa, abnegada, sacrificada lucha de tantos héroes locales que entendieron el valor del lugar, la dignidad de las provincias, el respeto por los territorios, ante toda política que se abría camino luchando por cosas más abstractas, como la patria, la libertad o la independencia. La defensa de los individuos y de las comunidades, de los árboles y de las semillas, contra el dogmatismo de las ideas; la defensa de los ríos y los bosques contra las arrogancias del mercado mundial.

Al período que va de 1880 a 1930 lo llamamos en Colombia la república conservadora. Corresponde a la Constitución centralista de 1886 y tuvo comienzo con el gobierno de la Regeneración, que sometió al país a una alianza entre los terratenientes y el clero, prohibió la lectura libre durante buena parte del siglo, educó al país en el racismo, la intolerancia con las ideas distintas, la mezquindad como estilo de vida y el irrespeto por los derechos de los ciudadanos.

En el país más mestizo del continente, donde las uniones maritales se daban de hecho entre gentes de todas las razas, no hubo nada más perseguido que el amor libre y nada más discriminado que los hijos de uniones no bendecidas por la Iglesia, que eran seguramente la mayoría. ¿Cómo puede quererse a sí mismo un país que crece en el odio por los indios y los negros, que son el origen irrenunciable de la mayoría de la población? ¿Cómo puede crecer sin intolerancia y sin resentimiento un país donde los hijos del amor son proscritos y considerados ciudadanos de segunda categoría?

Cuando intentaban ser católicos, esos mismos hijos del amor libre se encontraban con la discriminación y el maltrato. De ese modo, muchos seres que hallaban en la doctrina cristiana de amor y de igualdad, de respeto y de compasión, un consuelo frente a las dificultades del mundo y una promesa de dignidad y de afecto, vieron burlada su fe íntima por una alianza innoble de los poderes eclesiásticos con los poderes del mundo, y si algo hay que decir es que el Cristo original de los pobres y de los mansos era traicionado por los mercaderes en el propio templo.

Esa es la más grave culpa de la Iglesia católica y de sus viejos prelados, y está en la raíz de todos los males de Colombia. Es el estigma que la Iglesia, aliada de mil maneras con el poder político e incluso con el poder militar, trazó sobre la frente de la nación, y ese es el tamaño de la deuda histórica que ese poder clerical cerrado y fanático tiene con el país, una deuda que no alcanzará a verse compensada con todas sus caridades y sus buenos ejemplos.

Pero también es grande la responsabilidad de la Iglesia en la persecución y satanización del pensamiento liberal, no sólo porque sabía que iba a moderar su influencia sobre los ciudadanos, a proteger a los no creyentes, a los no practicantes y a los hijos de las uniones libres, sino porque iba a poner en cuestión las propiedades de la Iglesia, que en Colombia apenas fueron comparables con las del ejército.

Así contribuyeron las sotanas y las bayonetas a la perpetuación en Colombia de una Edad Media más tenebrosa que en cualquier otro lugar del continente. Basta recordar que hace apenas un cuarto de siglo quienes querían contraer matrimonio civil tenían que ir a cualquiera de los países vecinos, Venezuela, Panamá o Ecuador, porque en Colombia, que vivía envanecida de su supuesta modernidad, el único matrimonio con validez legal era el católico.

Basta pensar que todavía hoy, cuando hasta el pontífice romano predica en Rio de Janeiro que nada les conviene tanto a las sociedades como el Estado laico, que permite a las religiones convivir y entregarse a predicar sus valores, a formar a sus fieles en una ética del respeto y la responsabilidad, todavía hoy en el ápice del poder colombiano hay gobernantes que hablan con el dogmatismo de los viejos obispos y sombríos funcionarios cuyas providencias se rigen menos por la Constitución que por la Inquisición.

La élite que heredó la república y la dominó durante dos siglos fue la encargada de perpetuar el discurso colonial.

Durante mucho tiempo el modelo escolar estaba hecho para reproducir unas cuantas verdades eternas: que había unas metrópolis a las que había que imitar en todo; que la Iglesia católica era el único credo, fuera del cual no hay salvación; que el matrimonio por la Iglesia era la única fuente de legitimidad social; que Colombia era un país blanco, católico, de origen europeo; que nuestro deber era hablar una lengua de pureza castiza, y que la democracia sólo exigía respeto absoluto por las autoridades, sometimiento total a las normas, obediencia al Estado y a sus fuerzas armadas.

El lenguaje fue pues utilizado inicialmente para unir al país a través de la ortodoxia clerical y la descalificación de toda disidencia. El relato de la nación se articulaba en los púlpitos. Pero como mucha gente quedaba por fuera de ese estatuto ideológico tan cerrado y tan lleno de hipocresía, el poder económico, el poder religioso, el poder de la escuela y el poder del Estado fueron utilizados para someter por cualquier medio a todo aquel que no se sintiera incluido en el orden de la república.

Pero los que se sometían no por ello merecieron ser tratados como ciudadanos. La república no era el nombre de un proyecto nacional coherente sino el nombre de un conjunto de negocios particulares, de proyectos de casta y de iniciativas de los poderosos, y el papel de la comunidad era someterse a sus prioridades, aceptar el lugar de quien no ha sido invitado a la fiesta, y sólo puede estar allí en condición de servidor o de intruso. Hasta un nombre se inventó para los que pretendieron asumir esa condición de igualdad que mentía la doctrina, pero que la realidad continuamente negaba: "igualados".

Es un fenómeno que podemos advertir en la mezquindad de los espacios públicos. Cuando uno visita Francia o España, Brasil o Argentina, lo primero que advierte es la enormidad y el refinamiento de los espacios hechos para el disfrute de la comunidad: un parque como el de El Retiro en Madrid, espacios como la explanada de los Inválidos en París, como las fuentes de Trocadero ante la torre Eiffel y los sucesivos campos de Marte, espacios como las orillas del río o el Jardín de Luxemburgo, muestran a sociedades donde el ciudadano es considerado el principal destinatario de la inversión pública; donde el descanso, la recreación, los encuentros de la comunidad son parte principal de la agenda de gobierno y de las obras públicas.

Uno ve los parques inmensos llenos de obras de arte, los museos, los palacios de justicia, los panteones, los sistemas de transporte, y tiende a decirse que claro, todo eso es posible porque Francia es extensa y rica. Pero después uno reflexiona sobre el tema y recuerda que Francia es un país con la mitad del territorio de Colombia, y que en Colombia los parques son diminutos o inaccesibles, las perspectivas urbanas mezquinas, las zonas practicables para la comunidad carecen de diseño, de grandeza y de espíritu, hasta el punto de que recién en las últimas décadas han empezado a verse tímidamente espacios como el parque Simón Bolívar en Bogotá, donde se realizan a veces eventos masivos. Y hasta allí es posible advertir que una ciudad de esta magnitud no tiene escenarios para grandes espectáculos, de modo que terminan cobrándoles fortunas a los asistentes por escuchar un concierto entre el frío y el barro, en la más deplorable incomodidad.

Apenas a finales del siglo XX, espantados por las explosiones de violencia en las barriadas, a los administradores se les ocurrió que a lo mejor dándole algo a la comunidad, ofreciendo espacios para la recreación y la cultura, instalando sistemas de transporte mínimamente operantes, podría conjurarse la explosión de una energía social exasperada y sin rumbo. Así, lo que la democracia tendría que haber ofrecido desde el comienzo como un gesto natural hacia la dignidad de las mayorías, porque los espacios públicos son la morada común de la democracia, eran improvisados al final como dádivas para contener las erupciones sociales largamente gestadas en la tiniebla, y hubo quien se extrañara de que esas inversiones no conjuraran en el acto un malestar social madurado por siglos.

Nos hemos permitido llegar a la segunda década del siglo XXI sin un metro en una ciudad de ocho millones de habitantes como Bogotá, para no hablar de ciudades como Cali o Barranquilla, cuyo espacio urbano era propicio para toda clase de obras generosas y que han demorado mucho tiempo la construcción de espacios para la felicidad colectiva. Y hace muy pocos días se reveló que un Estado que invierte fortunas en armas y en ejércitos tiene para todos sus museos en el territorio nacional un presupuesto que sería insuficiente para uno solo. Por eso nadie tiene tanta razón como Fernando Vallejo, el gran impugnador de un orden social irrespetuoso e inicuo, quien ha dicho que lo único que esta dirigencia mezquina y sin sueños le enseñó al país es el arte miserable de dividir una servilleta en cuatro.

Cuando uno visita el delta del Tigre, en Buenos Aires, en la desembocadura del Río de la Plata, y ve los fines de semana las cómodas embarcaciones que llevan a los paseantes entre las islas llenas de jardines y casas de campo, por los brazos del delta, no puede dejar de acordarse del río Magdalena, deforestado y envenenado por el mercurio de los buscadores de oro, por los agroquímicos que arrastran las lluvias desde las montañas y por los desechos industriales y orgánicos de todas las ciudades, un río donde míseros pescadores y viajeros pobres se amontonan en chalupas deleznables en las que no ha invertido un solo peso la administración central del país.

Sólo las potentes lanchas militares que lo recorren nos recuerdan que hay riqueza estatal, y que esa riqueza jamás piensa en la gente de a pie que habita esas orillas y tiene que inventarse cada día la manera de recorrer un río que alguna vez fue la vida misma del país y hoy es apenas un testimonio del modo como vamos convirtiendo el paraíso en una sentina.

¿Qué hizo a los dirigentes tan mezquinos y tan capaces de despreciar al pueblo? Seguramente la convicción colonial de que les había tocado administrar un país de tercera categoría, el dolor de no haber nacido en España o en Francia o en los Estados Unidos; tener que resignarse a derivar su riqueza de este suelo y a convivir con lo que siempre llamaron "un país de cafres". Pero si de ellos dependía que Colombia tuviera obras públicas, espacios bellos, fuentes, parques, monumentos, sitios de la memoria, redes ferroviarias, agricultura, industria, ¿por qué se dedicaban a venerar los lugares lejanos y a envidiar sus excelencias en vez de hacer a su turno, como lo hicieron otros países del continente, ciudades hermosas y obras admirables?

Mi opinión es que el pueblo que les tocó en suerte no les parecía digno de esos esfuerzos. Era mejor poder ir a París, y volver aquí a envanecerse de esos viajes, que construir en este suelo una patria digna, ciudades hermosas y comunidades respetables. El poder del discurso colonial les había calado hasta los tuétanos, y fue por eso que todo lo que salía de las manos y el espíritu del pueblo, la música original de las comunidades, el teatro, las danzas, las artesanías, las narrativas regionales, todo lo que le hiciera algún reconocimiento a la iniciativa popular era descalificado inmediatamente por las cribas de la aristocracia.

Cuando Jorge Isaacs, a finales del siglo XIX, hizo un libro sobre las lenguas y los mitos de los pueblos indígenas del Bajo Magdalena, el propio presidente de la república, Miguel Antonio Caro, prohibió su publicación, porque el escritor estaba defendiendo el valor de unas lenguas y unas costumbres que el gobierno ya había decidido eliminar, sujetando a las comunidades indígenas al poder disolvente de las misiones religiosas. Y el maestro Rafael Campo Miranda, autor de algunas de las cumbias y de los porros más memorables de nuestra música, ha contado que en los clubes sociales de Barranquilla hasta los años sesenta estaba prohibido tocar porros, porque la única música respetable era la de las orquestas internacionales.

En vano el pueblo les demostraba con sus músicas, con sus danzas, con sus relatos, con su nobleza, con su sencillez, que aquí era posible una cultura verdadera, orgullosa y humana. Los dueños del país partían del supuesto colonial de que esa comunidad era inferior, y ello no les permitió entender que los procesos educativos, que el respeto por su creatividad cultural, que la construcción de una leyenda compartida, eran el camino para conformar una sociedad grande y respetable. Había demasiados prejuicios y arrogancias en esa élite para permitir que un pueblo maltratado desde la Conquista fuera dueño de su destino y pudiera ser vocero de su país ante el mundo.

Aquí siempre existió la tendencia a dejar a las muchedumbres en la pobreza y en el abandono, y correr a esconder a los pobres cuando el mundo venía a mirarnos. Tal vez lo mejor era que no viniera nadie y que los perfumados voceros de la patria fueran al encuentro del mundo; que los escogidos fueran a Europa a la ceremonia del besamanos, a rendir honores a esas potestades tan respetadas, procurando al mismo tiempo que no se les notara el cobre americano.

A los ingleses, a los franceses, a los norteamericanos, no les molesta hablar español con el marcado acento de su tierra de origen, porque no les inquieta que se sepa de dónde vienen: aquí había que hablar inglés y francés sin acento alguno, no fuera que alguien oyéndolos se diera cuenta de que llegaban de otra parte, de unas provincias avergonzadas de sí mismas, postradas en la veneración de las bengalas distantes, y no muy convencidas de que tuvieran el mismo derecho de los otros a respirar el aire del planeta.

Porque lo triste del asunto es que esas élites que despreciaban a su pueblo no lo hacían en el fondo por orgullo sino por un secreto sentimiento de indignidad. Acaso menospreciando a sus paisanos se curaban un poco del malestar de haber nacido en tierras bárbaras, en "esa margen ulterior de los mares" que les parecía despojada de belleza, privada de historia, carente de grandeza y dignidad. Siempre es que ciertos prejuicios estéticos contienen ya como una gota de fascismo: la idea colonial de que la belleza era europea, de que en un planeta tan diverso como éste es posible postular un solo canon.

Todavía hoy si el presidente de los Estados Unidos, que no puede ignorar lo que es la pobreza porque conoce las barriadas de Chicago y el delta del Mississippi, viene a visitarnos, aquí se las arreglan para convertir las veinte manzanas mostrables de Cartagena en un corralito de plata donde no se ven un pobre ni un mendigo, y sólo les gustaría que las murallas fueran un poco más altas para que no se alcanzara a ver en qué estado de postración tienen a una noble ciudad de casi un millón de habitantes. Y nunca se permitirán convocar a una cumbre de mandatarios del Pacífico en Buenaventura, porque aunque esa ciudad es el principal puerto de Colombia y la fuente de la extrema riqueza de unos cuantos empresarios y comerciantes, el abandono en que la han mantenido los poderes centrales y la violencia que como consecuencia de ello se ha desatado allí hablan muy bien de eso que llamamos nuestra dirigencia y del respeto que siente por el país.

El mundo oficial sólo toleraba intelectuales y escritores sometidos al poder y deseosos de dádivas. Grandes autores, como José María Vargas Vila, fueron desterrados, pero al menos en ese caso puede decirse que lo expulsaron porque lo reconocieron como alguien poderoso, peligroso y que no estaba en venta. Y eso que Vargas Vila era la expresión de la derrota del liberalismo: su lenguaje era como la espuma ya sin sustento de un mundo abolido; carecía de contacto con la realidad y con la gente, se nutría de los libros, y su estilo a veces da la impresión de que utiliza los datos de la realidad para darles un sabor a los textos, pero que está en combate con ilustres fantasmas de la Roma imperial y de la Francia clásica.

Con todo, Vargas Vila vivió en el exilio, combatió ferozmente el clericalismo, castigó con su fuste retórico a los dictadores del continente, y logró ser el escritor más vendido, el escritor más odiado, el escritor más amado y el escritor más leído en ciudades y aldeas, en una edad paradójica en que los libros que se leían por el espinazo de los Andes se imprimían en el # 7 de la rue de l'Odéon y en las imprentas de Barcelona.

El esfuerzo por hacer invisible la cultura popular, las danzas, las músicas, los relatos, las artes, las artesanías, formaba parte de un proceso más complejo: el asombroso esfuerzo por hacer invisible a todo un pueblo, un proceso que persiste hasta hoy por el método de visibilizar solamente a los que de algún modo representan el canon social. Cualquier caricaturista verbal de las revistas semanales puede desnudar con ironía esa antigua costumbre colombiana, proponiendo a la risa de sus lectores fotografías en las páginas sociales de personas pobremente vestidas, con sonrisa imperfecta o con apellidos de dudoso origen.

Una delicada dictadura del buen gusto, las buenas maneras y las buenas familias, por parte de quienes condenaban a la sociedad entera al mal gusto, la rusticidad y el linaje en penumbras, se abrió camino y se convirtió en el tácito decálogo que había que obedecer para ser gente, el único decálogo que tuvo alguna aplicación en Colombia, donde en cambio el Estado delinquía, los hijos de muchas buenas familias practicaban a medianoche la limpieza social, los hacendados pagaban esbirros, y hasta los empresarios más irreprochables terminaban financiando el crimen y el horror con las mejores intenciones.

Es posible que por este camino Colombia se haya convertido en el país más racista del continente, siendo al mismo tiempo el país más mestizo, el más mezclado étnicamente. Ello se explica porque sólo cuando las élites son tan mestizas como el resto de la población nace esa necesidad de poner el énfasis en algún elemento diferenciador, y en este caso eran sin duda las costumbres, la educación y los gustos los que establecían la diferencia.

Pero las democracias verdaderas se esfuerzan por integrar a las mayorías a unos modelos de educación, de salud, de higiene, de construcción de rituales compartidos, y en cambio las plutocracias, habituadas a la repulsión, aprovechan esas diferencias para construir un régimen de estratificaciones capaz de impedir toda proximidad que no sea la subordinación laboral, que convierta la pirámide de las clases sociales en una escala de gradaciones casi infinitas, donde todos aspiren a ascender siquiera un peldaño y para ello consideren como rivales incluso a sus más cercanos parientes.

Con eso, los dominadores logran mantener a la comunidad postrada en una suerte de conciencia negativa de sus propias virtudes e incapaz de construir lazos de solidaridad con los otros, pues cada quien aspira a escapar pronto de su entorno y dejar atrás a sus iguales. Son como esa muchachita del tango que sólo tenía "anhelos de vivir y amar, ir al centro, triunfar, y olvidar el percal".

Este hecho, normal en las sociedades en formación, puede convertirse en una técnica manejada por el poder para mantener a las comunidades estratificadas y con todos sus lazos rotos por la necesidad y por la competencia. No hay sociedades que lo logren más plenamente que aquellas que abandonan a la gente, aquellas que no construyen un Estado mínimamente protector y benefactor, y dejan toda la lucha por la supervivencia en manos de los individuos, de modo que éstos apenas cuentan con sus propios brazos y terminan confiando, si es que confían en algo, sólo en la institución familiar.

La técnica acaba por visibilizar únicamente a los que consiguen, por su talento, su ambición, su docilidad o su astucia, ascender en la escala social, y condena a una suerte de inexistencia práctica a las mayorías. Los individuos terminan, de un

modo harto compatible con las tendencias del capitalismo
implacable, convertidos apenas en productores y consumidores, electores y contribuyentes, postrados en la veneración
de la celebridad, la opulencia, el poder y el espectáculo, o
apartados de todo por indiferencia o por escepticismo, pero
incapaces de asumir la vocería de su comunidad, de tomar
iniciativas, de exigir al Estado el cumplimiento de sus deberes. Sus sufrimientos no serán medidos por nadie, sus vidas
no contarán en la definición de las prioridades sociales, sus
muertes mismas terminarán siendo tan imperceptibles como
la desaparición de las laboriosas hormigas.

A esa ausencia de un sentido de lo público en la construcción de la democracia hay que añadir la falta de una ley
arraigada en la conciencia de los ciudadanos. Basta que se
instaure sobre la sociedad un sistema de privilegios y exclusiones, para que los ciudadanos empiecen a sentir que la ley
no es garantía sino trampa. Lo único que puede asegurar el
acatamiento de la ley es la evidencia de que ésta rige para
todos, garantiza la igualdad de oportunidades y respeta la
dignidad de cada uno.

En Colombia se abrió camino hace mucho la afirmación
de que "la ley es para los de ruana". Se llamaba "los de ruana" a los campesinos y las gentes humildes, en contraste tal
vez con indumentarias más lujosas o más urbanas. Pero esa
frase delata de qué modo la ley perdió su universalidad y se
volvió selectiva: se aplicaba de manera distinta para diversos
sectores de la población.

Todas las sociedades viven el riesgo de caer en garras de regímenes de privilegios: no existiría la novela *Los miserables* de Víctor Hugo sin ese fenómeno de que los delitos de un hombre humilde sean castigados con mayor severidad que los crímenes de los poderosos o que las arbitrariedades de los funcionarios.

Aquí hubo durante mucho tiempo un régimen de excepción para políticos y militares que los hacía estar por encima de la justicia, y se perpetuó un modelo en el cual la riqueza y las influencias están en condiciones de demorar e imposibilitar la aplicación de la ley. Es muy reciente en Colombia ver a miembros del Congreso o a oficiales de las Fuerzas Armadas juzgados y condenados en los tribunales, y nadie ignora que también en el pago de las penas hay jerarquías, que la prisión de ciertos ministros consiste sobre todo en tener dónde cabalgar por las mañanas.

Con todo, no soy de quienes creen que la justicia consista en castigos y en prisiones. Nadie ha demostrado nunca que la cárcel haga mejores a los seres humanos, y quien aspire a la justicia debe saber que la única justicia de verdad efectiva es la que no representa una venganza, que llega después de los hechos para castigar, sino la que previene los males y se esfuerza por impedir que los hechos injustos ocurran.

La historia de Colombia muestra también el modo gradual y alarmante como grandes sectores de la comunidad se han ido viendo empujados a la ilegalidad, el modo como la sociedad en su conjunto se hace cada vez más escéptica frente a las normas y termina prefiriendo los caminos fraudulentos a los legales.

Para comprender el clima de la ilegalidad, y el fenómeno más vasto y más grave de cómo todo un mundo se hunde en la desconfianza de las normas y en la cultura de la transgresión, hay que entender el modo como una dirigencia irresponsable olvidó educar a la sociedad con el ejemplo, permitió que la ley perdiera su majestad a los ojos de los ciudadanos, y cómo el Estado mismo, que es el que tiene la atribución de velar por el cumplimiento de la ley y de sancionar a quienes la transgreden, se convirtió en Colombia en una mole de irresponsabilidad, hecha más para entorpecer que para facilitar la vida ciudadana, una red de compadrazgos y de trampas cuya principal finalidad no es engrandecer a la sociedad sino impedir en su seno toda transformación.

Parece imposible una sociedad con más requisitos, con más trámites, con más antesalas; parece imposible un Estado donde los funcionarios sean menos capaces de solucionar problemas, porque todo tiene que resolverse en las instancias más altas, aquellas que para la comunidad son inaccesibles. En cualquier país operante, el funcionario que atiende a una persona en la ventanilla está en condiciones de resolverle sus problemas, de reprogramar sus deudas: en el Estado colombiano, todo funcionario tiene que consultar hasta las cosas más triviales con un superior, que a su vez consulta con otro, hasta las esferas celestiales, y nadie está habilitado para tomar decisiones. De ese modo, en una sociedad ebria de desconfianzas, los superiores se aseguran el privilegio de las decisiones y los subalternos logran esquivar toda responsabilidad.

Hay que ver cuánto tiempo pierde la comunidad haciendo filas para las cosas más elementales, cuánto tiempo social se desperdicia en formalidades: el tiempo de los ciudadanos no preocupa a las instancias del poder, y la llegada de las nuevas tecnologías no ha mejorado las cosas porque las máquinas, incorporadas a un sistema irresponsable, pueden presentar, más que los funcionarios, puntos de incomunicación inapelables que paralizan todo trámite.

Ante la acusación de que el Estado es un mecanismo de privilegios, cualquier miembro de la élite podría decirnos con razón: "Vaya usted a ver quiénes son los que atienden en las oficinas del Estado y se dará cuenta de que no es la aristocracia, sino el pueblo". En algún momento de la historia, las élites colombianas comprendieron que el Estado no requería su presencia para estar a su servicio: bastaba dejar las instituciones en manos de una burocracia cuyo deber prioritario es impedir que nada cambie, y que recibe como recompensa por ese trabajo invaluable de mantenimiento kafkiano del *statu quo* el derecho a parasitar las instituciones, cobrar por los trámites, demorar los papeleos, enviar a los personajes de la novela eternamente de ventanilla en ventanilla, y convertir lo que podría hacerse en un día en una pesadilla de semanas.

Una valiosa película, *La gente de la Universal*, de Felipe Aljure, caricaturizaba ese fenómeno dramático mostrando a unos extranjeros que van de oficina en oficina tratando de cumplir con los trámites desesperantes del laberinto de la sinrazón y la arbitrariedad, y que ante cada solicitud reciben la misma respuesta: "Por eso le digo, señora, que primero hay que ir a tal parte y hacer aquello".

Existe incluso la palabra oficial "tramitomanía". Todos los presidentes de la república llegan al poder con la promesa de simplificar los trámites, de facilitar las cosas, y en algún momento de su gobierno, que siempre consiste en una depurada metamorfosis, abandonan esa tarea, más ardua que limpiar los establos de Augias, y al abandonar el cargo, si es que deciden abandonarlo definitivamente, acaso pasan muchos días firmando los infinitos documentos que garantizan la polvorienta eternidad del modelo.

Pero es que de esos trámites deriva cada pequeño funcionario su omnipotencia, porque el Estado colombiano ilustra bien ese fenómeno de un sector social que encuentra en su escritorio, en su ventanilla, en su archivo, en sus sellos, en su antesala o en su portería, un lugar donde ejercer la omnipotencia. Ya sabemos que cada portero es el rey de su puerta, y cada funcionario inventa su código personal, que nadie tiene tiempo de ir a comparar con las leyes.

La eficacia del Estado es otra: gastar la energía de la sociedad entera en vueltas interminables por los estrechos pasillos del poder, mantener con toda severidad un orden inicuo e irracional, someter a todo el que llegue a sus ámbitos a un proceso de incorporación en los arcanos de la documentación, de las fotocopias, los sellos, las idas y las venidas de un mundo donde los papeles son una suerte de inescrutables divinidades, y donde el pretexto de que se está impidiendo la corrupción atarea a los pequeños funcionarios, mientras muy lejos, sobre ellos, los grandes halcones de la corrupción vuelan con toda libertad en los cielos del poder.

Aquí la ley es el espejo donde los ciudadanos no se ven reflejados, y ello ilustra el modo como la comunidad se vio excluida desde el comienzo de las decisiones y una élite infatuada y prepotente se sintió en el derecho de emitir normas que los demás sólo tenían el deber de obedecer. A menudo los representantes de la ley se permiten violarla a los ojos de los ciudadanos, y el policía que nos impone con rostro severo una multa por pasar el semáforo en rojo no solamente se permite pasar él en rojo cuantas veces quiera, sino que suele renunciar de golpe a la severidad de la ley si el precio es correcto.

No pretendo afirmar que son males exclusivos de nuestro orden social, si hablando del dinero, ya Quevedo escribió hace cuatro siglos:

¿Quién los jueces con pasión,
sin ser ungüento hace humanos,
pues untándoles las manos
les ablanda el corazón?

Pero lo verdaderamente crítico son las dimensiones que esas conductas alcanzan en una sociedad como la nuestra.

En una historia de violencias sucesivas desde los tiempos de la Conquista, si algo hicieron las numerosas guerras civiles de los siglos XIX y XX fue romper cada cierto tiempo con la continuidad de las costumbres y con el arraigo en el territorio. ¿Cómo puede llegar a aclimatarse un conocimiento del mundo, cómo pueden permanecer unas costumbres, unos rituales compartidos, si cada cierto tiempo el viento arrasador de la guerra y del desplazamiento viene a frustrar esa intimidad con la naturaleza y esa posibilidad de que las generaciones se leguen unas a otras su experiencia, sus destrezas y su sabiduría?

Ya era difícil morar en un territorio donde el saber milenario de los pueblos indígenas, su conocimiento de la naturaleza y su interpretación en mitos de los secretos del mundo fueron profanados y borrados por la arbitrariedad de la cruz y de la espada, pero después de la Conquista cada cierto tiempo un nuevo soplo de discordia y de olvido sacudió las provincias, y a partir de la Independencia la violencia no permitió que tres generaciones sucesivas habitaran una región sin que vinieran la expulsión y el desprecio de esos saberes heredados.

Algo antiguo y persistente ha conspirado para que los colombianos siempre nos sintiéramos una suerte de extranjeros en nuestra propia patria, y a la vez para que no aprendiéramos a vernos como conciudadanos. Aquí todo el mundo entiende la frase "los dueños del país", aquí con demasiada frecuencia las gentes humildes se dicen unas a otras que esos males son eternos, que es inútil que alguien quiera cambiar las cosas porque "no lo van a dejar". Aunque no sea fácilmente ubicable su rostro ni definible su lugar, se entiende que habrá siempre algo o alguien que impida que ese modelo de arbitrariedad, de exclusión, de irracionalidad y de injusticia sea modificado.

Ya se sabe que en las sociedades donde se han roto los lazos de solidaridad, donde abundan los individuos pero no existen o casi no existen los ciudadanos, la indignación y la rebeldía no consiguen asumir el carácter de transformaciones políticas, es decir, comunitarias, y cada quien deriva más bien hacia la transgresión y el delito. Los proyectos, las causas nobles, los ideales compartidos naufragan en el pozo de los apetitos personales, de los resentimientos individuales y de las hambres privadas.

Mantener a las personas en niveles mínimos de subsistencia, atrapadas en el cepo de la necesidad, no dejarlas ingresar en un orden simbólico de valores y de ideales, es lo que impide que los individuos se conviertan en ciudadanos. La vieja tradición campesina estaba llena de valores que el viento falsamente modernizador despreció y fue anulando de un modo suicida. Allí donde pudo desarrollarse una economía campesina digna, libre un poco siquiera de los oprobios de las castas señoriales y del horror de las guerras, se afirmaron la confianza entre vecinos, la tradición de la hospitalidad, el respeto por la palabra empeñada, el orgullo de la limpieza y de la ornamentación aun en la pobreza.

Porque aunque la lucha por la supervivencia tienda a encerrarla en la precariedad y en lo inmediato, la humanidad procura salvar esos valores más abstractos de compasión y de respeto que son los que hacen posible un orden de convivencia y de civilización. Se necesita mucha mezquindad, la persistencia culpable de numerosos esquemas de exclusión, para que una comunidad noble en sus orígenes, espontáneamente solidaria y hospitalaria, vaya perdiendo la confianza, se vaya hundiendo en el recelo y en el egoísmo.

Para que las gentes pierdan la capacidad de ponerse en el lugar del otro, de ayudarse y de compadecer, se requieren verdaderas tempestades de desarraigo y largas lluvias de adversidad. Bien decía Nietzsche que cualquier costumbre es preferible a la falta de costumbres, y lo más repudiable de los modelos sociales que desprecian a los pobres y los abandonan a su suerte es que atentan contra los fundamentos de un orden moral sin el cual es imposible la vida en sociedad.

Ya es alarmante que en una sociedad se incube ese escepticismo central frente a la ley positiva que hace a los ciudadanos proclives a la transgresión, pero lo que gobierna nuestra conducta cotidiana son menos los códigos del derecho que la costumbre y la tradición. Lo más grave es que los miembros de una sociedad terminen por no creer en el honor, en la dignidad, en el valor de la palabra empeñada, en el orgullo de respetar los compromisos, en la compasión ante el dolor de los otros.

Ser humano, decía Aristóteles, es ser miembro de una comunidad, de una *polis*. Verse continuamente arrancado del sentimiento de comunidad por las violencias, por el despojo, por el desplazamiento, por el destierro, por la exclusión, por el desamparo, por la adversidad cotidiana, puede hacernos cada vez menos capaces de actuar como miembros de una comunidad y anularnos como protagonistas de transformaciones históricas.

Y el día en que hay que luchar por la dignidad, por la libertad, por la justicia, corremos el riesgo de derivar por los cauces muertos del vandalismo y del saqueo, corremos el riesgo de tratar de salvarnos solos, convirtiendo a todos los demás en víctimas. Estanislao Zuleta dijo alguna vez que uno de los males de Colombia consiste en que muchas veces las revoluciones salieron temprano rumbo a palacio, pero a las tres horas ya habían derivado hacia las salsamentarias.

Pero si la principal característica de la nación es su dispersión y su dificultad de configurar una comunidad solidaria, la principal característica de la dirigencia, para darle ese nombre inmerecido, fue desde el comienzo respetar más las formas de la democracia que su esencia.

La nuestra fue siempre una democracia de fachada; lo importante no eran los derechos y la dignificación de los individuos; lo importante no eran la igualdad de oportunidades, la igualdad ante la ley, la protección de la vida, la honra y los bienes de los ciudadanos: lo importante eran las formalidades, el papel sellado, los discursos pomposos, todo lo que cupiera, no en la compleja realidad sino en el golpe de una frase elocuente: "La riqueza del subsuelo, las aguas territoriales, los colores de la bandera, la soberanía nacional, los partidos tradicionales, los derechos del hombre, las libertades ciudadanas, el primer magistrado, la segunda instancia, el tercer debate, las cartas de recomendación, las constancias históricas, las elecciones libres, las reinas de la belleza, los discursos trascendentales, las grandiosas manifestaciones, las distinguidas señoritas,

los correctos caballeros, los pundonorosos militares, su
señoría ilustrísima, la corte suprema de justicia, los artículos
de prohibida importación, las damas liberales, el problema de
la carne, la pureza del lenguaje, los ejemplos para el mundo,
el orden jurídico, la prensa libre pero responsable, la Atenas
sudamericana, la opinión pública, las elecciones democráticas,
la moral cristiana, la escasez de divisas, el derecho de asilo, el
peligro comunista, la nave del Estado, la carestía de la vida,
las tradiciones republicanas, las clases desfavorecidas, los
mensajes de adhesión", como bien lo desnudó con una car-
cajada Gabriel García Márquez al enumerar, en el testamento
de la Mamá Grande, el estilo vacío de nuestros presidentes
gramáticos y de nuestros políticos ampulosos, toda esa fronda
retórica con la que se gobernó el país durante siglos.

Y es que si el discurso cohesionador del país fue articulado por los púlpitos, a partir de cierto momento fueron las
tribunas de la política las que hicieron resonar el relato de la
nación. No es raro que hayan sido grandes oradores quienes
redactaron nuestras constituciones, y el que tuvo efectos más
duraderos fue Miguel Antonio Caro, limitado poeta aunque
notable traductor de Virgilio, un hombre que sólo hablaba
en latín bajo los sietecueros de la sabana y que nunca salió
del altiplano, ni siquiera para saber qué clase de país era este
al que él le estaba dando forma en las instituciones. Para el
espíritu que gobernaba a Colombia, y para la lógica del centralismo creciente que se abrió camino después de la derrota
de los federales, nada más conveniente que un académico
encerrado en la gramática y en los incisos, para construir el
armazón de unas instituciones que borraban a los indios y a

los negros, a las selvas y a los valles ardientes, a los jaguares y a las anacondas, a los océanos y al mundo exterior.

El proceso que había comenzado por invisibilizar las expresiones culturales y que había continuado invisibilizando a las comunidades dispersas sólo podía llegar a su perfección volviendo invisible el país entero, su geografía y su historia, su naturaleza y su espíritu. Tal vez así se lograría por fin el milagro de que Colombia fuera lo que la élite necesitaba tan desesperadamente: una porción de España extraviada en los trópicos, un fragmento de Europa situado por error del destino en las regiones equinocciales, una fracción de la cristiandad asediada por selvas malignas, un palmo de la Mancha castiza rodeado por lenguas balbucientes y costumbres bárbaras que había que civilizar o borrar a toda prisa.

Mientras Miguel Antonio Caro se encerraba en su torre de marfil a redactar la Constitución de 1886, un hombre muy distinto, Jorge Isaacs, recorría el país descubriendo su extraordinaria diversidad, su belleza, sus riquezas potenciales, su memoria, su complejidad étnica, el rumor de sus lenguas. Aquel hombre que participó en las luchas políticas movido por el amor y la admiración por su tierra no pertenecía al viejo linaje de los conquistadores: podía mirar el país con curiosidad y sin miedo y sin culpa. Sería el símbolo de otro tipo de inmigrante, que no cargaba a cuestas el viejo fardo de la profanación del territorio y del exterminio de los pueblos nativos, ni los lazos paralizantes del mestizaje que demoraban en otros sectores de la sociedad la posibilidad de concebir un futuro.

Más tarde fue posible advertir en esos inmigrantes distintos, en esos ingleses que vinieron a buscar las minas de oro y que trajeron su revolución industrial y sus ferrocarriles, en esos italianos que hicieron nuestra cartografía, en esos alemanes que establecieron las primeras industrias y fundaron con colombianos la segunda aerolínea comercial del mundo, en esos siriolibaneses que trajeron su comercio y su arquitectura, cuán enriquecedor puede ser el aporte de los inmigrantes y qué grave fue el error de los gobiernos que impidieron sistemáticamente la inmigración, que no sólo procuraron mantener al país encerrado en sus fronteras, sino que hicieron que los cañones, las junglas, los tapones selváticos, los desiertos: las fronteras naturales que ya nos separaban de los países vecinos, se vieran ahondadas y agravadas por la política.

Vargas Vila se había ido, y había tenido que resignarse a ser un látigo indignado, no el constructor de un relato nuevo para Colombia. Casi necesitaba a los sátrapas para tener a quién fustigar y contra quién tener eternamente la razón. Pero Jorge Isaacs y después José Eustasio Rivera, vieron el territorio, lo nombraron, mostraron la diversidad de sus gentes, las arrogancias de la vida señorial y la dureza de la vida campesina, la paciencia de unos y la temeridad de otros, los saqueos y las guerras, el modo como la codicia y la soberbia se empeñaban en convertir en infierno los paraísos equinocciales.

Como Juan de Castellanos en los primeros tiempos de la Conquista, comprendieron que aquí toda historia tenía que incluir el espacio natural, no como paisaje de fondo sino como protagonista del relato. También Bolívar en su campaña asombrosa contra los españoles comprendió muy pronto que la principal dificultad que había que superar no eran los ejércitos enemigos sino los climas y los suelos, las selvas y los huracanes, el abismo y la niebla.

Isaacs se propuso en su novela *María* mostrar las costumbres de las haciendas y los idilios pastoriles de unos jóvenes desdichados, pero lo que se abrió camino fue el esplendor de la naturaleza, y su novela es menos una historia lacrimosa de amores postergados y frustrados que una expedición botánica por los espacios bellísimos del Valle del Cauca y los farallones de occidente. Rivera se propuso contar la triste historia de una pareja que huye de la ciudad a refugiarse en las llanuras del Casanare, pero lo que se abrió camino fue la selva inexpugnable, la naturaleza salvaje con su fecundidad agobiante, lo que llamaría Álvaro Mutis "los elementos del desastre", y el horror de las caucherías y los infiernos de la casa Arana.

Estaba ya planteada una lucha, que prosiguió siempre, entre los que borraban el país y los que lo descubrían, entre los políticos empeñados en someter nuestra diversidad al lecho de Procusto de unas instituciones precarias, una lectura de la realidad no hecha para el bienestar de los ciudadanos sino para los fines estrechos del poder y de la burocracia, y el espíritu descubridor de pensadores y artistas empeñados en hacer que por fin pudiéramos ver lo que teníamos ante los ojos.

No es fácil seguir los largos procesos de conformación de la sociedad señorial, haciendas coloniales que fueron en su tiempo grandes como países, tierras que los encomenderos y los hacendados recibían con sus riquezas del subsuelo y también con las comunidades que las habitaban, tierras de la nación y de las comunidades nativas que les eran entregadas a los generales de la Independencia y a los oficiales de las guerras civiles en pago de sus servicios, extensas provincias, lo mismo en las llanuras litorales que en los valles interandinos, tierras de gran fecundidad y de extraordinaria belleza simplemente cercadas y a menudo convertidas en latifundios improductivos, o dedicadas apenas a la ganadería o a la economía extractiva.

Mientras el país combinara su enorme extensión con una población reducida y dispersa, esos fenómenos podían ser tan pintorescos como la reproducción en la pampa argentina del ganado cimarrón, al que simplemente había que dejar por años pastando en sus praderas de alfalfa y después venir a recoger, multiplicado, en hordas de vaquería y expediciones con sabor de epopeya. Pero a medida que la población creció, se advirtió cada vez más la irracionalidad del modelo.

Para entender las fuerzas que se desencadenaron en el siglo XX, es conveniente mirar los procesos de población de las regiones, la formación de realidades económicas y la relación con el mundo que se dieron en esta tierra desde mediados del siglo XIX. Ninguna tan notable como la formación del Eje Cafetero, el paso de la minería a la agricultura de minifundios, el lento proceso de urbanización de las selvas vírgenes, la apertura de vías y ferrocarriles, y la llegada de las primeras promesas de la modernidad.

Desde los tiempos coloniales, en la zona central del país, una extensión de doscientas mil hectáreas le fue dada en concesión por la corona a José María de Aranzazu, sobre todo para que pudiera explotar sus yacimientos mineros, pero curiosamente esa concesión se prolongó para los mismos dueños después de la Independencia.

Fue así como esas regiones de la cordillera Central desde el sur de Antioquia hasta el norte del Valle del Cauca, donde las poblaciones indígenas habían sido prácticamente exterminadas, y que se habían cerrado en guaduales y bosques de niebla casi impenetrables, permanecieron despobladas hasta cuando los colonos antioqueños, que venían de los minifundios de sus padres buscando fortuna, las invadieron a partir de mediados del siglo XIX. Con ellos venían los ingleses, cobrando en minas los tres millones de libras esterlinas de los empréstitos de la Independencia. En un proceso que no dejó de ser conflictivo y violento, allí nacieron en medio siglo decenas de pueblos, allí crecieron tres ciudades de más de quinientos mil habitantes, Manizales, Armenia y Pereira, y hoy más de tres millones de personas habitan las tierras que pertenecían a un solo dueño en el siglo XIX.

Es una buena prueba de las dinámicas que se desatan cuando se rompen los esquemas arcaicos de propiedad ver cómo esa región, dominada durante siglos por una sola familia, se convirtió con el cultivo del café no sólo en la fuente de subsistencia de millones de personas sino en el centro de la economía nacional por más de cien años. A lo largo del siglo XX, Colombia vivió fundamentalmente de las exportaciones del Eje Cafetero.

Seguir ese proceso de formación de la zona cafetera es apasionante: el desbroce de las selvas cerradas, las guerras de colonización, la guaquería y el hallazgo de un mundo indígena sepultado, la apertura titánica de caminos, el aporte de los mineros ingleses y alemanes, el tendido de los cables aéreos, la navegación por el Magdalena, el trazado de los ferrocarriles. En la zona cafetera se construyó un país desde mediados del siglo XIX, y allí se destruyó un país a mediados del siglo XX. Hay que saberlo para entender lo que ocurrió en Colombia en los últimos setenta años, y el modo como se fue gestando la catástrofe. Porque si el triunfo de la Regeneración y de la república conservadora había perfeccionado el modelo de exclusión, la dominación espiritual y el central escepticismo ante la ley de una sociedad desprotegida, la historia posterior le añadió algunos elementos sombríos al mosaico.

Mientras Panamá formó parte del territorio, Colombia estuvo más abierta al mundo y era notoriamente un país caribeño. Pero el siglo comenzó con una guerra civil pavorosa, y una de las consecuencias de esa guerra fue la separación de Panamá. Los Estados Unidos, empeñados en construir el canal interoceánico, alentaron la insurrección en el istmo, y en una maniobra muy típica de su política intervencionista, al día siguiente reconocieron al gobierno recién proclamado, dejando claro que no permitirían la intervención del ejército nacional para impedir la secesión del territorio. García Márquez ha dicho que ese hecho, más que cualquier otro, fortaleció tanto el centralismo bogotano como la política de encierro en las fronteras que caracterizó al país en adelante.

Puede decirse que el territorio estaba conformado por dos partes claramente diferenciadas, divididas por una línea oblicua: el medio país de las cordilleras, sus valles fluviales interiores y los litorales del Caribe y del Pacífico, donde se encuentra la gran mayoría de la población, y el medio país de las llanuras del Orinoco y de la cuenca amazónica, ocupado por algunas comunidades indígenas y por los dioses de la selva y del río. La actividad agrícola y ganadera, lo mismo que la dinámica urbana, estuvo siempre en esa región del norte a la que los gobiernos sólo le prestaban atención de acuerdo con su vecindad a los centros del poder, pero hace un siglo casi nadie pensaba que la otra mitad pudiera tener algún valor que justificara el interés de los poderosos, la presencia del Estado, la construcción de instituciones.

Hasta en los mapas escolares, el suroriente se veía en un recuadro ínfimo; parecía más un lastre que una parte sagrada del territorio: era tierra de indios y selvas, de serpientes y malaria, de calor asfixiante y praderas inundadas; nada en ella sugería los esfuerzos de la civilización, y sobra decir que esas tierras se parecían menos aún a la idolatrada arcadia europea, de modo que no valía la pena mirarlas siquiera: aquello era "el infierno verde".

A pesar de que poco antes se había vivido la hazaña de la Comisión Corográfica, una aventura de conocimiento que desafortunadamente quedó inconclusa y cuyos frutos por desgracia no se compartieron con el país; a pesar de que algunos políticos con vocación de empresarios, como Rafael

Reyes, recorrieron las regiones apartadas de la geografía, no hubo esfuerzos verdaderos por construir un proyecto que integrara el país.

Colombia, a comienzos del siglo XX, tenía cuatro millones de habitantes: uno en las áreas urbanas y tres millones diseminados en los campos. Era fácil perder de vista la variedad humana, era difícil abarcar la complejidad geográfica, nada se perdía tanto de vista como aquella región de selvas y llanuras que casi no cabía en el mapa mental de la dirigencia.

Y no se trataba de que el país incorporara esas regiones de una manera arbitraria, como era su costumbre, a la agricultura o a los proyectos industriales, ni menos aún a la desaforada economía extractiva o al saqueo de los recursos madereros, cosas todas que fueron ocurriendo gradualmente: se trataba de que hubiera una visión de futuro, un esfuerzo de conocimiento, una conciencia del territorio.

Qué admirable es que los pueblos indígenas hubieran llegado a tener un conocimiento tan minucioso de las plantas, los suelos, los animales, los climas, el ciclo de las lluvias; que construyeran sus malocas considerando, en el sentido cósmico de la expresión, todos esos factores; que hubieran comprendido desde siempre la combinación de exuberancia y fragilidad que caracteriza a los ecosistemas de esas grandes cuencas fluviales, y que supieran desde siempre que no se podían extenuar los territorios, que había que proteger los manantiales, y que se debían establecer con el mundo natural más relaciones de simbiosis y de intercambio que brutales relaciones de dominación.

Claro que sin duda es más fácil hacerlo cuando las comunidades son pequeñas y mantienen ritualizada su relación con el mundo, pero con mayor razón tendrían que ser previsivas y cautas estas sociedades dinámicas que crecen a un ritmo más urgente, que pueden extenuar la tierra con mayor rapidez. Y es claro que el problema principal es el lucro: lo que no se hace por la presión de la necesidad sino por el imperativo de la ganancia, lo que no se detiene en consideración alguna porque no le interesa el equilibrio sino una ciega dinámica del crecimiento, que no tiene en las necesidades humanas su origen verdadero sino apenas su pretexto.

Como Jorge Isaacs en el norte, también José Eustasio Rivera se esforzó en vano por llamar la atención de los poderes centrales hacia otro costado del país donde él presentía que estaba el futuro. Sus ojos de poeta le habían hecho advertir la belleza y diversidad de las regiones, su espíritu captaba la riqueza y la sublimidad de la selva, los ríos, las fuentes de agua; la fauna asombrosa y la flora infinita lo conmovían sin cesar.

Formando parte de la comisión que trazaba las fronteras con el Brasil, había podido recorrer esos territorios; se había internado por su cuenta en una canoa por los ríos salvajes, con un revólver al cinto y acompañado por un par de baquianos, y de esas exploraciones no sólo trajo su novela *La vorágine*, que conmovió al continente, sino el llamado de un mundo que reclamaba ser tenido en cuenta, ser incorporado al relato de la nación, verse integrado al proyecto estratégico del país.

Nadie le hizo caso, porque la dirigencia colombiana nunca supo oír la voz del territorio, pero ahora comprendemos la magnitud del esfuerzo de aquel hombre, la clarividencia de su llamado. A partir de mediados de siglo, muchos de los dramas que ha vivido Colombia tuvieron su fuente y su escenario en esa extensión que nadie advertía, la mitad más invisible de un país que no aprendió a mirarse a sí mismo, que nunca tuvo ojos para verse completo.

La historia de las concesiones de tierras que hizo la corona española en la Nueva Granada es asombrosa. Si la concesión Aranzazu llegó a tener doscientas mil hectáreas, la concesión Villegas, de 1763, abarcó lo que después serían los municipios de Sonsón y Abejorral. La concesión La Burila, que abarcaba las tierras de Cali, Buga, Toro y los valles cercanos de la cordillera Central, desde 1741 fue de Nicolás Caicedo Hinestroza. Es decir, buena parte del Valle del Cauca y las tierras felices del Quindío, antes de la Independencia pertenecían a una sola familia.

La familia Caicedo se unió sin duda al bando de los libertadores porque conservó, no su hacienda sino su país, en la república. En 1840 la heredó el coronel José María Caicedo Zorrilla, y sus descendientes han de ser dueños todavía de amargas y dulces y extensas comarcas de caña de azúcar. Treinta mil colonos llegaron a habitar en esa propiedad desmesurada, pero en 1888 un juez falló una demanda a favor de los hacendados, y bandas de paramilitares contratados por los dueños del mundo empezaron a quemar ranchos y a expulsar y asesinar colonos. El derecho de los dueños de la tierra era sagrado y prevalecía sobre la vida de miles de seres humanos.

Ello en sí mismo es doloroso, pero duele más saber que al mismo tiempo miles y miles de indígenas por todo el país se encorvaban trabajando en las propiedades de los señores, tierras que habían sido de sus pueblos antes de que los dioses fueran borrados por Dios, y que ahora eran de los grandes hacendados de la república, todavía por decisión del rey de España.

Un indio que arañaba la tierra ajena alzó un día los ojos del surco y se preguntó por qué, si ya todos éramos iguales ante la ley, los blancos tenían derecho a la tierra de sus padres y los indios nunca. Allí desapareció el indiecito que arañaba la tierra y surgió Manuel Quintín Lame, el más grande luchador por los derechos de los indígenas que tuvo Colombia en tres siglos. Aprendió a leer y a escribir, leyó los códigos, estudió las leyes, organizó a las comunidades, aprendió el arte exasperante de redactar memoriales, instaurar denuncias, solicitar audiencias, invocar derechos, reclamar, exigir.

Fue del Cauca al Putumayo, del Huila al Tolima, remontó la sabana, habló con Marco Fidel Suárez, y el presidente letrado le permitió acceder a los archivos de la nación. Quintín Lame sondeó en los abismos de la memoria para argumentar los derechos de los indios. Debió de comprender que Agualongo tenía razón en desconfiar de los criollos finos, incluido el ardiente general Bolívar, que sabían ver bien al enemigo español pero no sabían comprender la honda herida del indio americano. Bien había dicho Simón Rodríguez, maestro de

Bolívar, que aquí, más importante que entender a un autor latino, era entender a un indio.

Ya había transcurrido un siglo desde la Independencia, y los indios seguían siendo cargadores de blancos, cultivadores de surcos ajenos, limpiadores de pisos, reserva de reclutas para todos los ejércitos y carne de cañón para sus infinitas guerras civiles. Ya era hora de que los indios lucharan por algo propio, por una pequeña república que fuera suya, siquiera una parcela de dignidad y de honor del paraíso perdido.

Nueve meses de cárcel primero, largas persecuciones después, atentados y arrestos más tarde, y finalmente cuatro años con los pies en el cepo fueron el premio que la república democrática que cantaba noche y día "Oh gloria inmarcesible" le brindó al epígono del orgullo de una humanidad profanada. Y sin embargo lo poco que han obtenido desde entonces los pueblos indígenas es fruto del ejemplo de Manuel Quintín Lame, quien envejeció en Ortega (Tolima), dándole aliento a su pueblo hasta el último día, y a él le deberemos también mucho de lo que la memoria indígena aportará a nuestro futuro. Esos tesoros de sabiduría, de conocimiento del territorio y de respeto por el universo natural sin los cuales no sobrevivirán las repúblicas.

El territorio exigía desde el comienzo ese esfuerzo de conocimiento. Ya lo habían demostrado los pueblos indígenas de La Mojana, cuya sabiduría en relación con el suelo y el clima les hizo construir una red de canales de quinientas mil hectáreas, una obra de arte y de conocimiento cuyos vestigios todavía es posible ver desde el aire cuando se sobrevuelan esas regiones, un modelo de ingeniería hidráulica que les permitió mucho tiempo manejar el régimen de las inundaciones allá donde convergen todas las aguas de la región andina, donde se unen el río Cauca y el río Magdalena y comienza la extensión de las ciénagas.

Ya lo habían demostrado los chamanes, que por sus particulares caminos de conocimiento habían llegado a la inteligencia de las propiedades medicinales de incontables plantas de la selva. Ya lo había demostrado Juan de Castellanos, que en su silencioso y abnegado esfuerzo por recoger en un poema infinito las hazañas de los conquistadores comprendió que lo que verdaderamente lo movía era el descubrimiento del mundo americano, y nos dejó el fresco vivo de un mundo que nacía al lenguaje y de un momento histórico irrepetible.

Ya lo habían demostrado José Celestino Mutis y los sabios y artistas de la Expedición Botánica, que reconocieron, estudiaron y pintaron una parte considerable de la flora equinoccial. Ya lo había demostrado Alejandro de Humboldt, que en un solo viaje aguas arriba por el Magdalena dejó ese río minuciosamente medido, estudiado y reconocido por los saberes de la Ilustración; que en su recorrido por el reino en vísperas de la Independencia pudo estudiar los suelos, los climas, los minerales, los bosques, e incluso reflexionar sobre las comunidades, sobre la salud, sobre la influencia poderosa de los fenómenos naturales en la vida humana y en los procesos sociales.

Para eso se requería algo que tuvieron por igual los pueblos indígenas y los sabios ilustrados: saber mirar lo que existe, no tener los ojos vendados por la veneración dogmática de otro mundo, no estar cegados por la vergüenza de lo propio, no intentar imponer mecánicamente a un mundo las verdades de otro.

Pero ay, nuestras élites suspiraban por mundos más ilustres, y no querían mirar siquiera el mundo que les tocó en suerte. Así como habían aceptado dócilmente la tesis española de que en el poema de Juan de Castellanos, *Elegías de varones ilustres de Indias*, que introdujo un mundo en el lenguaje, no había poesía, porque estaba lleno de palabras bárbaras y exóticas que afeaban la sonoridad clásica de la lengua castellana, de la misma manera veían el mundo americano y se avergonzaban de él.

En el relato que nos tiranizaba no cabían la naturaleza americana ni tampoco la mestiza humanidad de este continente. Debían de avergonzarse cuando al mirar al espejo no aparecían el Apolo de Belvedere o la divina Aspasia, así como rechazaban esas palabras indígenas que desde el primer momento el poeta consideró dignas de la poesía: piña y guanábana, canoas y bohíos, poporos y gualandayes, yarumos y tucanes, jaguares y anacondas, huracanes y tiburones. Esas palabras no podían ser poéticas porque no estaban sacralizadas por España, los nombres de los indios que Castellanos prodigó en su poema eran sonoridades inaceptables. Para ellos, aquí, definitivamente, no estaban los dioses.

Tal vez a los ingleses y a los alemanes les resultaba más fácil y más fascinante apreciar y reconocer este mundo americano. No estaban tan cegados por prejuicios culturales o estéticos, como no lo estuvieron los grandes cronistas que, en la época de los dogmas de la Conquista, no parecían obedecer a la España codiciosa y obtusa sino al espíritu del Renacimiento, que estaba inventando otra época porque se atrevía a mirar el mundo real. Leonardo ya no creía que el deber del arte fuera desconfiar de la realidad, él bajaba a mirar cómo eran las piedras reales, y en *La Virgen de las rocas* casi por primera vez las piedras del arte son tan duras y contundentes como las piedras del mundo.

Basta ver a un poeta como León de Greiff, descendiente de alemanes y de suecos, totalmente arraigado en el mundo americano. Puede escribir a veces como Carranza y como Guillermo Valencia para satisfacer la sonoridad de la lengua y para añorar las cosas distantes, pero cuando quiere sabe complacerse plenamente con el mundo real, con los sitios, las costumbres, los climas: como en esa cabalgata entusiasta de Ramón Antigua por los pueblos de Antioquia y los cañones del Cauca:

> *Ellos hincaban espuelas*
> *si las mulas se quedaban,*
> *ellos paraban en todas*
> *las fondas y las posadas,*
> *bebían el aguardiente*
> *de espumillas irisadas,*
> *puro, dinámico, excelso*

y en las totumas de nácar,
y requerían de amores
con miel de finas palabras,
a las chicas pizpiretas
y a las señoras casadas.

El poeta sabe deleitarse en la mención de las gentes del
pueblo y en los nombres de los lugares:

Allí don Pipo el arriero,
supercopa renombrada,
de Amagá a Titiribí
del Cangrejo a La Pintada,
desde Anzá hasta Cocojondo
y en Medellín y otras plazas.

De Greiff sintió con plenitud la posibilidad de hacer de
este territorio una morada para la acción, para el deseo, para
la imaginación y para el goce de vivir:

Bajaron al corredor,
subieron a las hamacas,
ahora llegó el recuento
balance de la jornada;
mientras sirven el condumio
gozosamente se parla,
mientras se parla se fuma;
se bebe mientras se yanta;
se conversa en hiperbólico

cuasi mentir, mientras canta
la marmita en el fogón,
mientras sueña la montaña
—sueño de ceibos robustos
y de esbeltísimas palmas—.

Pero el poeta ya había advertido desde temprano que había sombras que conspiraban contra esa felicidad, y quizá esa certeza lo hundió en el escepticismo, o al menos lo obligó a mirar con distancia el mundo oficial colombiano, ante cuyas ceremonias fue siempre un rebelde. Cuando León de Greiff tenía dieciocho años había estado muy cerca de la tragedia, porque conocía bien a Rafael Uribe Uribe, el general de la guerra de los Mil Días que firmó la paz con el gobierno, y era su secretario privado cuando el general fue asesinado a hachazos a las puertas del Capitolio Nacional.

¿Cómo es posible que en esos mismos paisajes donde el poeta ve la "ávida vida abierta a todos los milagros" y la fiesta de la convivencia, otros hayan construido un sueño de horror y de profanación, la entrada a medianoche de ejércitos implacables en las aldeas humildes, la defensa a toda costa de mezquinos poderes y el triunfo del odio y del resentimiento? Mucho tenemos que descifrar todavía de nuestra tierra, para que podamos por fin habitar este suelo tantas veces profanado, y convertirlo, no sólo en el lecho sereno de nuestros sueños, sino en la tumba honorable de nuestros muertos.

La poesía colombiana se movió siempre en dos direcciones que parecen contrarias: la mirada atenta al mundo exterior de Juan de Castellanos, que no quiere perder cosa alguna de la realidad, y el encierro en las sonoridades del lenguaje y en los tesoros que la lengua trajo consigo de su largo viaje por los reinos y por los siglos, como en la obra desaforada y tierna de Hernando Domínguez Camargo. No sobra decir que, como tantos otros, León de Greiff es ambas cosas: un hombre capaz de ver la realidad cotidiana y cantarla con música burlona y voz familiar, y un artífice encerrado, cuando se lo dicta el capricho, en el gabinete de los sonidos puros.

Ambas cosas nos pertenecen con la misma intensidad: quizá ser colombiano, ser latinoamericano, es vivir al tiempo en el presente inmediato y en la memoria distante, en un presente tan desconocido que a veces no tiene palabras y en un pasado tan remoto que a veces no tiene confines; ser como niños que tuvieran recuerdos de ancianos y como ancianos llenos aún de curiosidad infantil. Ver, como Pedro Ruiz, columnas corintias brotando entre los platanales; ver, como Miguel Ángel Rojas, mutiladas esculturas de Fidias en los cuerpos de los soldados víctimas de las minas antipersonas; trazar, como Fernando Botero, composiciones renacentistas con el descanso de los guerrilleros en sus hamacas por las selvas tropicales, entre las moscas de la muerte.

Es lo que vino a enseñarnos a todos el siglo XX, que no podremos habitar plenamente este territorio si persistimos en la ilusión de no pertenecerle, de ser viajeros de tierras más ilustres, si persistimos en negarlo y en no escuchar su voz. Todo un mundo pugnaba desde el comienzo por salir a la luz, por mostrar su originalidad, pero un discurso cerrado de inautenticidad y de opresión, el desprecio de sí mismo convertido en doctrina, arrastró primero a Colombia a la locura y al horror, antes de que aprendiéramos a escuchar el rumor de todas nuestras tradiciones, antes de aprender que ninguna enseñanza es más sabia que aquellas viejas palabras de Píndaro: "Llega a ser el que eres".

Eso no significa que el país no haya intentado descifrar, hasta donde se lo permitían las bayonetas y las sotanas, las claves de su propia originalidad. No era tan fuerte la tenaza como para hacer que no advirtiéramos que vivimos en la región equinoccial del planeta, que el norte del territorio pertenece al Caribe, todo un mundo con sus leyendas y sus mitologías, con sus propios lenguajes y símbolos; que la región más poblada pertenece al mundo andino, que extiende sus memorias y sus tradiciones, sus costumbres y sus músicas hasta los confines antárticos; que el oriente pertenece a las llanuras del Orinoco, y comparte con Venezuela su cultura y su naturaleza; que allá al sur se dilata la extensa cuenca amazónica, un mundo apenas presentido que la ideología oficial intentaba ignorar, pero que ejerció siempre su influjo sobre la vida y sobre la imaginación, tal vez porque es la fuente profunda del aire que respiramos y del agua que bebemos, de la exuberancia de nuestra vegetación y de la exuberancia de nuestro vivir.

Bajo un persistente discurso de inautenticidad y de simulación, el país real se abría camino. La *María* de Isaacs y

La vorágine de Rivera eran apenas los primeros rayos de ese verano. Nuestra literatura y nuestro periodismo estuvieron mucho tiempo en manos de la aristocracia, y Guillermo Valencia fue el último de los refinados cultores de esa mirada exotista a la que le costaba arraigar en el mundo al que pertenecía. Una poesía de cigüeñas y de camellos, de tapices bíblicos y de camafeos, exquisita en su estructura y refinadísima en su melodía, parecía perpetuar la vocación de europeísmo y de simulación, pero en realidad no podía escapar a las búsquedas que estaban conmoviendo en todo el continente a la lengua castellana.

Colombia parecía ignorar más que los otros países que pertenecía a un continente, parecía estar encerrada en sí misma, pero sin mirarse, soñando ser un pedazo de Europa extraviado por artes mágicas en estas tierras vírgenes. Pero la savia de América nos corría por las venas, todo lo que pasaba afuera repercutía aquí y nos traía un mensaje de urgencia. Cuando al continente lo recorrían el sentimentalismo y el amor por el paisaje que nos habían contagiado los románticos europeos, aquí surgieron *María* y *La vorágine* para responder a ese llamado, y fueron más allá de los modelos, crearon algo nuevo porque un mundo distinto afloraba en ellos.

También cuando la influencia de los franceses, de Víctor Hugo y de Verlaine, despertó la sensibilidad de toda una generación en el continente y la llevó a reinventar la lengua castellana, a llenarla de otros temas y otros ritmos, aquí surgió la voz de José Asunción Silva y con él una música desconocida en el idioma, un pálpito de libertad.

Valencia captó igualmente ese nuevo estremecimiento: era un señor feudal del Cauca, heredero del espíritu señorial de Julio Arboleda, pero más allá de su catolicismo y de su conservatismo, triunfaron en él las pompas de la imaginación y los arrebatos de sensualidad que Verlaine les contagiaba a todos. Pasa una bella pecadora de cuerpo voluptuoso, dejando un rastro de tentaciones frente al pobre estilita que ha buscado el desierto para mortificarse, y se lo lleva de nuevo hacia la vida y hacia el placer. En el fondo de sus estrofas decorativas se siente sin embargo como un tedio de ese mundo aldeano donde están ahogadas las pasiones, se oye como un llamado a sacudirse de la quietud y de la agonía:

Bebed dolor en ellas, flautistas de Bizancio,
que amáis pulir el dáctilo al son de las cadenas;
sólo esos ojos pueden deciros el cansancio
de un mundo que agoniza sin sangre entre las venas.

Hasta la aristocracia se atristaba en su arcadia clerical, pero en otros sectores de la sociedad irrumpía el mundo sepultado. Con Tomás Carrasquilla, la capacidad de mirar la realidad, de observar la vida de la provincia, de escuchar la voz de la tierra, de pintar los tipos originales de las montañas de Antioquia, seres que todavía parecen ser sólo arquetipos pero que ya escapan hacia la individualidad y se llenan de color y de detalles, hace irrupción con extraordinario vigor. Carrasquilla conocía como pocos la lengua castellana, pero estaba interesado además en escuchar y celebrar los matices que ésta asumía en el habla de su región, que por aquellos tiempos abarcaba una parte considerable del país.

Ya en Carrasquilla no hay imitación, sino traviesa y riquísima originalidad. Algunos piensan que su labor se vio debilitada por darle al lenguaje un tono excesivamente local, pero la verdad es que nadie en el ámbito de la lengua ve como un obstáculo para su comprensión la entonación de *Martín Fierro*, ni el tono criollo de "El hombre de la esquina rosada" de Jorge Luis Borges, ni los modismos de los corridos mexicanos, ni los conciertos mulatos de Luis Palés Matos, ni el diccionario lunfardo de los tangos de Cadícamo, como tampoco nos cuesta demasiado sentir en alma propia los quejidos del cante jondo. Es falso que el sabor local, cuando es auténtico y necesario para mostrar una realidad y transmitir unas emociones, sea un obstáculo para el disfrute de la literatura. *Don Quijote* es muy castellano, Dante es muy florentino, Pushkin es muy ruso, y de ese arraigo derivan buena parte de su encanto.

El mundo moderno puede embelesarse por un tiempo en el sueño de una lengua internacional, carente de matices locales, incolora y más bien insípida, pero el sabor local, unido por supuesto a una extraordinaria carga de humanidad y de fuerza expresiva, no ha impedido que Homero sea uno de los autores más vivos que circulan hoy por el mundo, no ha impedido que un libro tan tribal como la Biblia siga siendo, para asombro de unos e impaciencia de otros, el libro de Occidente, el que le dio forma a la lengua alemana, el que inspiró las visiones de Hölderlin, el que le enseñó a escribir a William Shakespeare.

Esa misma región antioqueña produjo la obra de Porfirio Barba Jacob. La aldea clerical en que se había convertido Colombia en la primera mitad del siglo XX era asfixiante para todo el que quisiera vivir y soñar. Barba Jacob padeció todas las opresiones del país clerical: la intolerancia, el desprecio por las gentes del campo, la dictadura estética de la casta mestiza que dominaba el país, la homofobia de la aldea.

Si Byron y Shelley no cabían en Inglaterra, si Rimbaud se asfixiaba en Francia, ¿cómo no iba a emprender la fuga este varón desmesurado que no cabía en sí mismo, que no cabía en su nombre, en su sexo, en su lenguaje, que vivía de un modo extremo todas las pasiones prohibidas por la casta sacerdotal y reprimidas por el poder político?

Fernando Vallejo nos ha pintado su retrato, ha reconstruido minuciosamente sus años de exilio, sus aventuras en Cuba, sus delirios en Guatemala, sus desórdenes en Honduras, sus locuras en México, su fracaso cuando intentó regresar a Colombia y descubrió que la Colombia de 1930 era tal vez peor, más asfixiante y violenta que la Colombia de 1909 que él había abandonado por el puerto de Barranquilla, cargado de sueños que la vida frustró, lleno de una energía que desplegó en miles de aventuras, con una insatisfacción que creció con las décadas.

Se parecía como nadie a este país: al país sepultado por la simulación colonial, al que había sido acallado por la mordaza clerical, al que iba a ser masacrado por la intolerancia y la codicia. Buena parte de nuestras tragedias, de nuestras ansias, de nuestros silencios, fueron cifrados por él en algunos de los versos más poderosos de la lengua, y si con alguien podemos establecer un contraste es con el lenguaje cadencioso, intachable, antiséptico de su contemporáneo Guillermo Valencia.

Tiempo después, Jaime Jaramillo Escobar diría que se había mudado a vivir a la obra de Barba Jacob porque en los versos de Valencia hacía mucho frío. En Barba Jacob la lengua no es comedida y delicada: es nerviosa y volcánica, está hecha de explosiones y de espasmos. La obra de Barba nace de la entraña de un pueblo más decidido a sentir que a simular: no es un canto sino un grito, no tiene doctrina, tiene pocas certezas, está hecha de preguntas y de desafíos, de la sensación de un gran engaño, de una enorme frustración y de una derrota abrumadora, pero también de la voluntad de sobrevivir incluso a su derrota, de no someterse ni siquiera a la muerte, de impugnar al destino, al mundo y a los dioses por la farsa a que lo han sometido.

Es el dolor de un mundo, el genio de un pueblo lo que habla allí; sé que no descifraremos los arcanos de esa voz que no acaba de satisfacer a los académicos, que no logra ajustar en los cánones, pero que sobrevive década tras década a las modas y a los cenáculos, y se va acercando a lo intemporal y a lo eterno.

En él, oímos la tragedia de una tremenda incapacidad de aceptarse:

Desprecio de mí mismo, estoy llagado,
desprecio de mí mismo, has gangrenado
mi corazón.

Menciona lluvias benéficas que ponen fin a siglos de sequía, campos felices donde los pobladores llenan de gritos las montañas, habla de un niño indio que está con su madre en la noche bajo las estrellas, pero siempre termina exclamando:

¡Imaginaciones! ¡Imaginaciones!
Esta tierra es muy dulce, muy tibia, nada estéril,
y la fecundan largos ríos de dolor.

Barba Jacob no quiere consolar ni busca consuelo: muestra el vacío, la nada de una cultura hecha contra el hombre, y sólo propone que seamos capaces de resistir, de oponernos hasta el final:

Alguien diga en mi nombre, un día, vanamente:
¡No, no, no, no!

Ese llamado a una resistencia indoblegable arde en sus versos como una clave misteriosa. No es a sí mismo, es acaso a su mundo al que quiere enseñarle a decir, aunque se hayan desplomado las edades y hayan sucumbido las generaciones:

¡Mi hora no ha llegado todavía!

Lo dice porque sabe que toda derrota es provisional, que para un pueblo la muerte es una enseñanza, que ante las tardes que caen para siempre, hay una voz que tiene el deber de decir:

Cuántas no se alzarán, aún más azules.

Ya no es hora de aprender, grita. Nada, nada por siempre, grita. No se oye nada: silencio y bruma, soplos de lo arcano, la luz mentira, la canción mentira, grita. Y después dice que cuando muera le aten las manos con las cuerdas de su laúd:

Que el nudo sea muy apretado,
porque a la muerte se rinde fiero
y rencoroso mi corazón.
El drama ha sido un drama horrible, ruin y frustrado,
buena partida que me han jugado,
yo creía que esto tenía significado,
con la maraña y el embeleco de la ilusión.

¿Cómo logra, con ese mensaje de derrota permanente, con esa declaración fatídica de lo imposible, no dejarnos esa sensación de fatalismo y de desaliento que nos producen las obras de Kafka, sino una curiosa sensación de energía, de rebeldía y de vitalidad?

El poder de la música no está en lo que se dice sino en cómo se dice, y la voz de Barba Jacob es una de las más vigorosas de la lengua. No se detiene en la delectación morosa de la eufonía, no sabe ser ornamental, no está haciendo "literatura", sino lanzando un grito en la noche, y la preceptiva no logra amansarlo ni la telaraña retórica consigue demorarlo.

Sabe que no hay que esperar nada del poder, que al fatigado sólo lo ayuda el fatigado, que al triste sólo lo ayuda el triste:

Apoya tu fatiga en mi fatiga
que yo mi pena apoyaré en tu pena.

En medio de su clamor que no quiere ser virtuoso ni ejemplar, nos deja sin embargo la clave de lo que es, y sobre todo de lo que será, el mundo en que ha nacido. Que a ese niño friolento que está echado sobre la tierra dura, bajo las estrellas, su madre le escuche el llanto, y lo arrulle, y le dé de mamar. Quizás es el único momento en que le podrá saciar su sed y dejarlo "húmedo por la leche de la ternura humana", como enseñaba Shakespeare. Cuando la vida no nos da a tiempo lo elemental, tal vez ya no nos saciaremos con nada, y lo nuestro será la búsqueda eterna de lo que no existe.

Todo el clamor del romanticismo está condensado allí. Barba Jacob ha expresado un secreto: que quien es hijo de la necesidad, y no fue amamantado por una ley generosa, se convierte en algo insaciable:

Le pedí un sublime canto que endulzara
mi rudo, monótono y áspero vivir.
Él me dio una alondra de rima encantada...
¡Yo quería mil!
Le pedí un ejemplo del ritmo seguro
con que yo pudiese gobernar mi afán.
Me dio un arroyuelo, murmullo nocturno...
¡Yo quería un mar!
Le pedí una hoguera de ardor nunca extinto
para que a mis sueños prestase calor.

Me dio una luciérnaga de menguado brillo...
¡Yo quería un sol!
Qué vana es la vida, qué inútil mi impulso,
y el verdor edénico y el azul Abril...
Oh sórdido guía del viaje nocturno:
¡yo quiero morir!

Tal vez sólo los pueblos enfrentados a sus más crueles momentos, a sus desafíos más extremos, logran encontrar ese poder de síntesis, esas sentencias que parecen atrapar cifras del mundo y claves de la eternidad.

Danilo Cruz Vélez sostuvo alguna vez que Colombia sólo dos veces se aproximó a la posibilidad de modular la más alta poesía: con la obra de José Asunción Silva y con la obra de Aurelio Arturo. Yo no dudo de que Silva trajo a la lengua la música de nuevas obsesiones y de nuevos ensueños, que Aurelio Arturo descubrió el camino hacia una reconciliación con la naturaleza que será clave en muchas cosas de nuestro futuro, pero la voz de Barba Jacob es más misteriosa, parece recoger un desgarramiento que sólo puede tener su origen en el modo como fue incorporada la tierra americana a la civilización occidental.

El grito de un mundo arrebatado, el asombro de dos mitades de lo humano que se miran y no se reconocen, hondos sufrimientos irredimibles, heroísmos silenciosos de los que sólo Dios fue testigo, el dolor de una humanidad a la que le fue arrebatado su orgullo, la desesperación ante una tierra que no sabe ser patria, el rencor ante unos poderes infatuados que atormentan el mundo y son irremediablemente ciegos a su belleza y sordos a su canto, y en consecuencia el deber de la humanidad de despreciar todo poder que la niegue, de construir su paraíso en diálogo con la tierra humilde y en alianza sólo con los que sufren, una vindicación de lo marginal y de lo postergado, la decisión valerosa de amar el mundo a pesar de las admoniciones de la historia, de la derrota prometida y de la muerte irremediable.

El poeta dice finalmente que la fuente de su inspiración, alimentada de hieles y engañada por los dioses,

> *En noches sin aurora y en llantos de agonía,*
> *ya no creerá en nada… ni aun en la poesía…*
> *¡Y estoy sereno! En medio del oscuro "algún día",*
> *de la sed, de la fiebre, de los mortuorios ramos*
> *—el día del adiós a todo cuanto amamos—*
> *yo evocaré esta hora y me diré a mí mismo,*
> *sonriendo virilmente: "Poeta, ¿en qué quedamos?".*
> *Y llenaré mi vaso de sombras y de abismo…*
> *¡el día del adiós a todo cuanto amamos!*

Esa misma torrencialidad del lenguaje, esa misma virtud reactiva capaz de impugnar a un poder de siglos y de contrariar unos hábitos largo tiempo establecidos, surgió en los años treinta en Colombia en el grito encendido de Jorge Eliécer Gaitán. Barba Jacob y Gaitán pertenecen al mismo mundo, a esas clases medias mestizas negadas por la casta, hijos de esos maestros, de esos decentes cultores del lenguaje que leían a Vargas Vila bajo las sábanas y soñaban con un tiempo donde por fin se rescataran antiguos reinos profanados, sabidurías borradas, estirpes deshonradas, la dignidad mancillada de un mundo.

No es casual que Barba Jacob haya llegado a México cuando empezaba la revolución: en América Latina, a falta de la unión política o económica continental, fluyen los ríos profundos, los canales secretos, y todo lo que ocurre de poderoso y de nuevo ocurre simultáneamente en todas partes. Así nació la generación ilustrada que precedió a la Independencia, así surgió la generación libertadora, así brotó la generación modernista, así aparecería a mediados del siglo el llamado *boom* de la literatura latinoamericana.

En la segunda década del siglo XX, México estalló, y allí estaba Barba Jacob viviendo el despertar de una raza, el orgullo de un pueblo, beneficiándose de esa hospitalidad mexicana que fue el espacio propicio para que naciera y se fortaleciera la literatura colombiana, que no tenía espacio en su propio país. Porque aquí nadie los expulsaba, ni siquiera había ya el respeto y el temor que tuvieron por Vargas Vila y que los llevó a desterrarlo. Ahora les daba igual. Colombia era capaz de apreciar los libros, pero no de ayudar a escribirlos.

Un artista estaba abandonado a su suerte, y lo más probable es que no se abriera camino, porque lo devoraba la lucha contra la adversidad, la que apagó el genio de Antonio Llanos y extinguió la música de Luis A. Calvo, que dejó perderse en la indiferencia a Luis B. Ramos, el fotógrafo, y llevó al suicidio al joven dibujante Ricardo Rendón; la lucha, aún más dura, contra la indiferencia y la soledad.

Por eso en México encontraron asilo cultural Barba Jacob y Leo Matiz, Germán Pardo García y Álvaro Mutis, Gabriel

García Márquez y Fernando Vallejo. Hay que decir, como parte del memorial de agravios a la historia sombría del país, que buena parte de la literatura colombiana tuvo que escribirse en el exilio, y que si por fin en Colombia empezó a ser posible una vida literaria fue sólo a partir del momento en que García Márquez obtuvo el Premio Nobel de Literatura.

Tal vez habría que añadir con temor que la razón por la cual muchos ahora aprecian a los escritores no es porque la literatura haya alcanzado una dignidad nueva en nuestro mundo oficial, sino porque el éxito editorial de García Márquez produjo la ilusión de que la literatura podía ser un oficio rentable y hasta un camino a la riqueza.

La élite colombiana no estaba en condiciones de construir un país coherente y digno. No sólo porque el territorio era muy grande y muy diverso para que pudiera abarcarlo de verdad una interpretación tan estrecha y tan distante de sí mismo, sino porque el país era demasiado complejo para que pudiera representarlo de verdad sólo una casta envanecida e ignorante. Pero esa casta estaba atrincherada en el poder de una doble tiranía: la tiranía eclesiástica, que anulaba las ideas y las cambiaba únicamente por el santo rosario, y la tiranía militar, que le prometía a toda insumisión el cepo, la tortura o soluciones aún más definitivas.

Y, sin embargo, la república conservadora por primera vez tuvo poder suficiente para mantener el país bajo un solo discurso durante medio siglo, y en ese medio siglo intentó construir unas instituciones que merecieran ese nombre.

Esa fortaleza podía advertirse en la consolidación de la zona cafetera, en el crecimiento de las ciudades y el esfuerzo por dotarlas de vías, de servicios públicos, de sistemas hospitalarios, en el primer impulso de la industria, y hasta en detalles reveladores como los hermosos edificios de algunos hoteles: sobre todo el Prado de Barranquilla y el Estación en Buenaventura, que mostraban una vocación de belleza en diálogo con el territorio, y que influyeron en el estilo de los hoteles de los años treinta y cuarenta, como el Caribe de Cartagena, el Nutibara de Medellín, el Bucarica de Bucaramanga y el Guadalajara de Buga.

Y si los primeros tiempos nos habían dejado bellas ciudades de estilo español, Villa de Leyva y Santa Fe de Antioquia, Riohacha y Cartagena, Mompox y Popayán, y los cascos antiguos de las principales ciudades, hay que apreciar que los tiempos recientes las hayan conservado cuando llegó el viento demoledor de la modernidad aparente, que cambiaba joyas por escombros, porque no puede decirse lo mismo de tesoros urbanos como el barrio Manga de Cartagena, el Juanambú de Cali, el Prado de Medellín, o la arquitectura republicana de Bogotá, casi completamente arrasados por lo que ahora llamamos progreso, por la desmemoria y por la sed de lucro.

Los cables aéreos de Mariquita a Manizales y de Gamarra a Ocaña fueron en su tiempo hazañas de ingeniería y verdaderas sagas novelescas. El tendido de los ferrocarriles significó un enorme ejercicio de estudio de suelos, climas y sistemas económicos, y una gran aventura tecnológica que incluyó el diseño y la construcción en fábricas inglesas de locomotoras pensadas específicamente para estos suelos y estas montañas,

como las "doce ruedas" de tres cilindros que diseñó el inglés
Paul Dewhurst, tan potentes para escalar la cordillera y tan
ágiles en recorrer las curvas de los Andes que las gentes del
pueblo empezaron a incorporarlas a su mitología llamándolas
tigres y *culebras.*

La modernidad estaba empezando, una modernidad que
dialogaba con el territorio: la navegación por el Magdalena,
adjudicada al alemán Elbers, hizo que recorrieran el río hasta
Honda vapores de gran calado; ya los primeros exploradores,
Barco y De Mares, estaban obteniendo concesiones para la
explotación del petróleo del Catatumbo; crecía el cultivo del
banano en las llanuras litorales de Santa Marta, y el cultivo
del café había hecho prosperar el Viejo Caldas, que fue,
después de los tabacales de Ambalema, la primera provincia
campesina conectada de verdad con el mundo.

Pero la pérdida de Panamá sería la advertencia de que había otros intereses en juego. En 1908 comenzó la producción
masiva de automóviles, y ese invento extraordinario en el que
rivalizaron día tras día Benz en Alemania, Peugeot en Francia
y Ford en los Estados Unidos no sólo cambió el ritmo del
mundo, sino que marcó muchas cosas en el destino de nuestra
tierra. La primera de ellas, el abandono gradual del proyecto
de los ferrocarriles, y el abandono de la búsqueda de unos
sistemas de transporte público que pudieran responder a las
necesidades del país.

Los Estados Unidos se entregaron al sueño consumista
de un automóvil por familia, trazando sobre la inmensidad
de su territorio la red de autorrutas que intercomunicó el
país. Y nuestra élite imitadora vivió el paso de la influencia

inglesa a la influencia norteamericana como un cambio en los paradigmas de la vida en sociedad: ahora lo que había que hacer era tender carreteras y empezar a importar automóviles.

¿Se proponían realmente hacerlo, o todo era un arrebato de imitación y de simulación como el que en otros tiempos los llevaba a despreciar la música popular y a venerar la música sinfónica, pero no a fundar una sola orquesta sinfónica ni a ofrecerle a un solo niño la posibilidad de acceder a un violín o un piano?

Lo cierto es que hoy, un siglo después de la invención del automóvil, y más de cincuenta años después del momento en que Colombia abandonó el trazado de los ferrocarriles, la red de carreteras del país da lástima comparada con la de muchas naciones del continente. Los Estados Unidos, el país al que siempre miraron nuestros gobernantes, tiene cuatro millones de kilómetros de carreteras; Colombia, a comienzos del siglo XXI, tiene treinta mil kilómetros de vías asfaltadas y apenas unos mil kilómetros de vías de doble calzada. Su dirigencia, más buena para imitar que para estimular soluciones creadoras, prefiere fingir que profesa ciertas verdades y que acepta ciertas soluciones inventadas por otros, pero todo se le queda en planes, porque en realidad su interés por el territorio no llega más allá de donde los funcionarios tienen la finca, y su interés por hacer mejor la vida de la comunidad es apenas un simulacro para obtener votos y apaciguar ánimos impacientes.

Terminado el período de la Independencia, únicamente dos grandes estructuras organizadas quedaban en el territorio: el ejército y la Iglesia. El ejército, en toda la Gran Colombia, ascendía a 30.000 hombres para una población de 1.250.000 habitantes, que es como si a los 50 millones de actuales habitantes de Colombia correspondiera un ejército de 1.200.000 hombres, y a pesar de los esfuerzos de reducción de la tropa y de disminución de su influencia, las armas decidieron la suerte del país durante el resto del siglo.

Todavía hoy, en un continente donde Brasil, con 200 millones de habitantes, tiene un ejército de 350.000 hombres, y México, con 110 millones de habitantes, un ejército de 270.000, Colombia, con menos de cincuenta millones de habitantes, tiene unas fuerzas armadas de 480.000 efectivos.

Hacia 1861 la tercera parte de las propiedades inmuebles pertenecía a la Iglesia católica. Entonces ocurrió la desamortización de bienes de manos muertas, nombre macarrónico que significa la autorización de venta de los bienes eclesiásticos que hasta entonces no podían ser enajenados.

Los liberales radicales enfrentaron el poder absoluto de la Iglesia, lucharon por la educación laica, trajeron las ideas modernas e intentaron abrirles camino, y fue por ello que la Iglesia, al ver la amenaza de pérdida de su inmenso poder, concibió en defensa de sus riquezas y de sus privilegios un odio mortal contra las ideas liberales, reaccionó aliándose con los terratenientes, ambos recurrieron al poder militar que no había podido ser remplazado por el poder civil en medio siglo de guerras, y el sol del siglo XX se alzó sobre el clericalismo triunfante y sobre la derrota de las ideas liberales.

Ese temor a las ideas modernas y a su influencia produjo un curioso fenómeno: dado que el discurso de la república, heredado de los libertadores, no podía ser erradicado, y dado que este discurso imponía algunos deberes, como el del sufragio universal, hubo un largo forcejeo entre quienes querían impulsar la educación moderna y la lectura libre para formar electores conscientes y abiertos a nuevas ideas, y quienes sabían que los libros y la educación echarían a perder las mayorías que votaban obedeciendo sólo a la fe y al fanatismo inoculado desde los púlpitos.

En Colombia durante todo un siglo nos han dicho que vivimos en una democracia perfecta porque la población es convocada regularmente a las urnas, porque a partir de 1957 también las mujeres pudieron votar, porque en las últimas décadas se redujo a dieciocho años la edad para acceder a la ciudadanía. Pero alternativamente imperaron en nuestra democracia el fraude de los que escrutaban, el control militar, el fanatismo religioso, y después la transformación de ese fanatismo en sectarismo partidista, la imposición de pactos antidemocráticos que dejaban por fuera a todo el que no estuviera afiliado, e incluso una estrategia del terror que no podemos decir que haya sido política del Estado pero que ha imperado a pesar suyo y a menudo con su complicidad.

Y más allá de todo ello, Colombia sabe de qué modo han funcionado el clientelismo, el poder de los gamonales, la compra directa de votos y su versión asordinada bajo la forma de oferta de puestos y acarreo de votantes a los que sólo se entregan las papeletas ya marcadas en el momento mismo de acceder a las urnas. Finalmente, llegamos a una época en que los costos de las campañas electorales dejan por fuera de circulación a todo el que no cuente con grandes fortunas para financiar la publicidad onerosa, los programas pierden importancia ante la estrategia de la imagen y del mercadeo, y al ritmo de la degradación del debate público la astucia y el rumor terminan siendo más poderosos que las propuestas y que los principios.

Las democracias modernas saben cada vez más que no bastan las urnas electorales y las elecciones periódicas: que toda elección debería tener como condición ineludible la inclusión social, la incorporación a un orden de valores, y la libertad de expresión y de conciencia, pero también la educación universal, obligatoria y gratuita, para impedir justamente que tras la fachada democrática se escondan década tras década la manipulación, la ignorancia, el chantaje, la intimidación y el fanatismo.

Como trágico final, esas costumbres de los solemnes partidos que se repartieron el poder y que fanatizaron y manipularon a la opinión pública durante mucho tiempo fueron heredadas y pervertidas todavía más con la llegada de las inmensas fortunas del narcotráfico, con la conformación de los ejércitos ilegales y con la descentralización de la corrupción, uno de los fenómenos más recientes de la vida institucional colombiana.

Todo se había gestado en la sucesión de guerras de la segunda mitad del siglo XIX. Conflictos por la tierra y por el poder en las regiones; la rivalidad entre las provincias y la tensión entre éstas y una capital que ya mostraba su arrogancia y su indiferencia frente a la complejidad del país; el poder de las familias ilustres frente a la masa anónima de los indígenas, de los esclavos y de los campesinos; la utilización de las armas como único argumento a la hora de los grandes desacuerdos; la presencia de la Iglesia, siempre vigilante de sus dos principales recursos: sus inmensas propiedades y su poder de persuasión y de intimidación sobre la masa de los desposeídos. Todo esto produjo un modo de gobernar al país que no podía renunciar jamás al poder de las armas y al discurso religioso.

Quienes tenían acceso a las ideas liberales, y veían en ellas una oportunidad empresarial y un progreso histórico, pertenecían sin embargo a las élites privilegiadas y no acababan de resignarse al hecho lamentable de que para construir repúblicas liberales, como los Estados Unidos o Francia, hubiera que dar poder y dignidad al pueblo, a esa turba de gentes "de rudas manos y de oscuros nombres" que no compartía sus maneras ni su estilo de vida.

El pueblo siempre les parecía una amenaza, lo utilizaban como carne de cañón en sus guerras, lo ponían a marchar en nombre de la Virgen María y de la libertad, lo incluían en sus discursos en el momento preciso en que había que ser contundentes y eufónicos, pero que no pretendiera esa turba salirse del cauce de sus conductores, que no pretendiera pedir más de lo que los jefes estaban dispuestos a concederle, y sobre todo que no pretendiera tomar nada por sí mismo ni convertirse por alguna ideología diabólica en una fuerza independiente, en un grotesco protagonista de la historia.

Por esa razón, los liberales terminaron no sólo pareciéndose a los conservadores sino asumiendo a veces con mayor determinación su vocería. En realidad, muy de acuerdo con nuestra tradición mental, en la cual las palabras no sirven para nombrar las cosas sino para disfrazarlas, liberal y conservador no eran palabras que denotaran una filosofía, sino etiquetas que diferenciaban a los mismos protagonistas en distintos momentos de la rebatiña.

Por eso fue posible que más de un gran dirigente comenzara siendo ardiente vocero de un partido y terminara siendo encendido representante del otro. Y eso permite entender también por qué a veces los conservadores eran más progresistas y los liberales más retrógrados, por qué la república conservadora empezaba a industrializar el país, a reconocerse en él y a traer la modernidad, y por qué, como veremos, la llamada república liberal, después de un clamoroso manifiesto revolucionario que pretendía venir a reformar la propiedad de la tierra, a modernizar la industria, a construir la infraestructura, a fundar el Estado laico y a incorporar a los trabajadores al orden social, de la noche a la mañana decidió paralizar todo ese aparato de reformas y ordenó, durante el gobierno de transición de Eduardo Santos, lo que llamaron "La gran pausa". Era un nombre muy adecuado, porque "gran pausa" significaba en realidad "pausa infinita": dejar detenida para siempre, irónicamente, la que ellos mismos llamaban "Revolución en marcha".

Con eso el pueblo colombiano aprendió, o debió aprender, que las grandes transformaciones son del pueblo o no son del pueblo, que cuando los poderosos decretan una revolución siempre se reservan el derecho a detenerla en el momento en que más les convenga, que en una transformación verdadera los sectores sociales se suceden en el debate ideológico, en la iniciativa social, en la creatividad cultural, hasta que la sociedad encuentre otro equilibrio, más adecuado a la suma de los sectores que han tomado el protagonismo y han asumido el liderazgo.

A esos jefes políticos les gustaba llamarse liberales, y parecer modernos con ello, pero no lograban serlo en la práctica, y cuando apareció de verdad un líder liberal y le ofreció al país una reforma indispensable, hicieron todo lo posible por impedir su triunfo. Ese liberalismo selectivo, que tomaba del ideario liberal las cosas que le servían para fines empresariales y políticos pero tachaba de la agenda todo lo que pusiera en peligro el orden de los privilegios, fue el que celebró su alianza con los viejos poderes bajo la tutela maternal de la Iglesia y entre el solícito rumor de las guarniciones militares. Y el país entero salió del carnaval y entró en la procesión.

Con la derrota del modelo inglés, quedamos bajo el influjo de los Estados Unidos, y es curioso que a pesar de haber comenzado esa relación con la pérdida de Panamá, el Estado colombiano haya sido el más fiel de los socios de esa gran potencia en el continente. En la segunda década del siglo ya la consigna de los gobiernos era *Respice polum*, mirar al norte, a la Estrella Polar. La industria norteamericana entró a proveer muchos elementos de la vida cotidiana, de modo que en la mesa de las siguientes generaciones ya no faltaron Avena Quaker y Maizena, y no hubo baño en que no estuviera la marca Colgate Palmolive, ni mesa humilde sin su Coca-Cola, ni paisaje colombiano sin los colores móviles de los Buick y los Chevrolet, ni casa de clase media sin su máquina de coser, hasta el punto de que en sus estampas provincianas el poeta cartagenero Luis Carlos López llegó a escribir, hablando de la precaria economía familiar

La cuestión es asunto de catre y de puchero
sin empeñar la Singer, que ayuda a mal comer.

Pero no fue sólo eso sino que a partir de cierto momento en Colombia no se movió una ficha del tablero sin que el hermano poderoso del norte lo supiera y lo aceptara.

Decisiones que se toman en los Estados Unidos determinan si los campesinos de nuestras cordilleras siembran maíz o café, si los empresarios de nuestros valles producen azúcar, arroz o algodón, si los fabricantes de muebles de Itagüí prosperarán o fracasarán en su industria. Si en Colombia avanza un proceso de paz, será porque los Estados Unidos aceptaron las condiciones; si en Colombia parece lejano un golpe militar, es porque por ahora no forma parte de la estrategia de los Estados Unidos apoyar cuartelazos, como a mediados del siglo pasado.

Que el país más celoso de la libertad, la democracia y los derechos ciudadanos, fuera el que apoyaba a Trujillo en República Dominicana, a Duvalier en Haití, a Somoza en Nicaragua, a Batista en Cuba, el que puso en su silla al general Augusto Pinochet en Chile en 1973, y el que permitió las dictaduras militares de Uruguay, de Brasil y de Argentina, es una de las paradojas a las que tuvimos que acostumbrarnos en el tiempo que nos ha tocado sobre la Tierra.

Allá al norte estaba sin embargo el faro de la democracia, una de las pocas pruebas que teníamos de que era posible una sociedad próspera, opulenta, ebria de innovaciones y de transformaciones, donde los hogares estaban llenos de las comodidades de la época, donde era posible el consumo, donde el Estado devolvía en garantías lo que recibía en impuestos, donde no había una contradicción visible entre la prédica de las leyes y la realidad cotidiana.

Pero cuanto más brillaban las virtudes y las marquesinas de los Estados Unidos, más incomprensible nos resultaba nuestra propia realidad de pueblos sin agua potable, de carreteras mal trazadas y peor conservadas, la imposibilidad de acceder a esos bienes que la publicidad pregonaba sin cesar, la falta de un trabajo confiable, la falta de garantías estatales, la inseguridad, la desigualdad extrema y la zozobra de millones de ciudadanos condenados al rebusque y tentados por la ilegalidad.

No es extraño que muchos colombianos hayan sentido temprano la tentación de emigrar y de buscar en los Estados Unidos ese mínimo horizonte de justicia y oportunidades que aquí les negaba la historia, una manera mezquina y rastrera de manejar el país, su economía y su cultura. Eso se vivió en todo el continente, pero en pocos países la comparación produjo consecuencias tan dramáticas como en Colombia, pues ya veremos que fue precisamente el contacto con los Estados Unidos lo que despertó en un sector emprendedor de nuestra sociedad, carente de oportunidades en el marco de la legalidad, la tentación del enriquecimiento ilícito, no del dinero fácil, como dicen algunos, sino la sed insaciable, la cegadora tentación de la riqueza absoluta.

Pero cuando recorremos la historia del siglo XX en Colombia, y vemos el modo como la dirigencia nacional manejó al país, no podemos dejar de preguntarnos cuál fue el papel que desempeñaron los Estados Unidos en ese proceso, por qué no aconsejaron nunca a sus amigos irrestrictos, los gobernantes colombianos, hacer algo generoso por su pueblo, pensar de verdad en la educación como una estrategia de convivencia, en la salud pública, en la mínima igualdad ante la ley, en la construcción de un Estado responsable y operante. Más bien parecía que les conviniera una sociedad donde los gobernantes eran obsecuentes y dóciles a la hora de firmar los convenios, y donde la ciudadanía no tuviera capacidad de exigencia ni poder de fiscalización.

Suele pasar que los gobiernos que dentro de sus fronteras practican el respeto por el ciudadano, la ética insobornable en los asuntos públicos, el apego a la ley y la búsqueda del engrandecimiento de su país, fuera de sus fronteras y en relación con otros se permitan la trampa, el saqueo y el pillaje.

Pensarán, sin razón, que conviene al bienestar de su propia gente el sacrificio de la ajena, o se dirán que la defensa de los propios intereses es tarea de los otros, y que no es delito abusar de la venalidad de los gobiernos o de la irresponsabilidad o la negligencia de las comunidades.

En los Estados Unidos, la mínima igualdad de oportunidades para los ciudadanos no es una astucia del discurso sino un principio legal que se esfuerzan por respetar en la práctica. No sé si la riqueza sea una buena prédica para los pueblos, pero es lo que se nos predica en el mundo entero, el evangelio de la publicidad. Y en los Estados Unidos es lícito enriquecerse, o mejor dicho, es posible el enriquecimiento lícito: por lo general, los que tienen talento gerencial están en la posibilidad de montar una empresa con el apoyo del Estado, y no son pocos los que pueden afirmar que se enriquecieron por su trabajo, por su talento, por su iniciativa.

En Colombia, en los últimos tiempos, de nada se habla tanto como del enriquecimiento ilícito, y quien lo oiga podría pensar que es necio optar por el delito y no hacer fortuna en la legalidad. Pero basta intentar crear una empresa en Colombia cuando no se pertenece al círculo de los escogidos, que tienen recursos, que pueden mover con su influencia una rueda herrumbrada y abrir la puerta del cielo con una llamada oportuna, para comprobar cuán tramposo es el discurso de la igualdad en una sociedad llena de discriminaciones, cuán difícil es lo más elemental para todo el que no esté inscrito en el libro de los privilegios.

En los Estados Unidos se fortaleció el sindicalismo moderno, la lucha por las ocho horas de trabajo y el derecho de huelga, allí se instauró el respeto ante las demandas de los trabajadores. Pero cuando pensamos en el sindicalismo colombiano nada aparece tan pronto en la mente como la masacre de las bananeras, un hecho que ya parece formar parte de la mitología nacional.

No es una mera anécdota: es un símbolo de cómo terminaron aquí muchas veces las luchas de los trabajadores. Y es significativo que fuera precisamente en los campamentos de la United Fruit Company donde se dio ese crimen, una abierta incursión del ejército, instaurado como en todas partes para defender a la nación de sus posibles enemigos externos, y que aquí intervino para defender los intereses de una empresa norteamericana asesinando obreros colombianos.

No es que las masacres de obreros en huelga fueran una costumbre, pero la expulsión de obreros que trabajaban por el sindicalismo, el hostigamiento, la persecución, la declaratoria de ilegalidad de las huelgas, y de un modo creciente la pérdida de la formalidad del trabajo, fueron la secuencia de un modelo que nos ha ido llevando a niveles alarmantes de inestabilidad laboral, al desmonte de la seguridad social, del sistemas de pensiones y de buena parte de las garantías que alguna vez tuvieron en Colombia los trabajadores.

La tradición de la servidumbre y la esclavitud, el rechazo de las ideas modernas, el encierro en las costumbres de la aldea, el irrespeto por la iniciativa popular, la soberbia de los señores y los amos, todo conspiraba para que el régimen laboral fuera entre nosotros opresivo e inhumano, para que la recompensa por el trabajo fuera especialmente ofensiva y mezquina. Todavía hoy gobernantes que derrochan fortunas en un almuerzo son capaces de explicarle con cinismo a la comunidad, a través de la televisión, que sólo es pobre el que gana menos de cien dólares al mes, y se permiten incluso demostrar cómo se reparte ese billete para atender a las necesidades de la subsistencia.

El más reciente de los métodos de gobierno para disminuir la pobreza no consiste ya en esfuerzos por crear empleo, por fortalecer la industria, por hacer crecer la agricultura, sino en el recurso ciertamente ofensivo para la inteligencia, pero también para la sensibilidad, de cambiar los sistemas de medición. Esto les permite sacar de la pobreza a millones de personas sin tener que hacer otro esfuerzo que jugar con las cifras, y luego exhibir esos malabares de oficina como triunfos reales de una política de cambio.

Con el despegue de la industrialización y con los primeros esfuerzos de ingreso en la modernidad también comenzaba todo eso. En 1928, la masacre de las bananeras precipitó el desprestigio del régimen conservador; los liberales se lanzaron entonces a la conquista del poder y con la candidatura de Enrique Olaya Herrera ganaron las elecciones en 1930. El presidente conservador Miguel Abadía Méndez entregó lealmente el poder a sus adversarios, pero a partir de ese momento en las regiones comenzó la reacción local de los conservadores desplazados del poder que, azuzados por la Iglesia, construyeron la leyenda negra del liberalismo ascendente, y proclamaron ante un campesinado crédulo y manipulable que estaba llegando un viento satánico.

Los jefes liberales predicaron con energía el listado de sus reformas. El sucesor de Olaya, Alfonso López Pumarejo, transformó el discurso reformista en algo aún más sonoro: la "Revolución en marcha", y echó a andar la Ley de Tierras, para reformar la propiedad rural, y los otros proyectos modernizadores. Pero esos jefes que parecían convencidos de la urgencia de ese conjunto de transformaciones, en cuanto vieron que la Iglesia reaccionaba, en cuanto vieron que el conservatismo se enardecía, ante el primer tropiezo de su revolución decretaron "la gran pausa", y renunciando a la posibilidad de modernizar el país, abandonaron su proyecto histórico

En las ideas modernas en realidad sólo pueden creer quienes las necesitan. Por algo en México habían tenido que ser indios como Benito Juárez quienes echaran a andar las reformas liberales. Nuestros jefes liberales formaban parte de los dueños del país, en el fondo también ellos veían un peligro en la modernidad de las ideas y en toda reivindicación popular, y no se atrevieron a contrariar de verdad el régimen de propiedad agraria, que había sido el garante del poder desde la Independencia, y que se había fortalecido con las guerras civiles.

Tal vez los atraían las ideas liberales, pero no querían contagiárselas al pueblo, porque por supuesto desconfiaban de él. Los viejos radicales habían desaparecido, nadie intentaba ahora enfrentar los hábitos de exclusión, no tenían un discurso que pudieran compartir con las multitudes, eran

incapaces de arrojar una mirada abarcadora sobre la complejidad del país, de concebir una idea original sobre su destino,
comprender el rol que le imponía su lugar en el continente.

Otra cosa que se había fortalecido en Colombia era la intolerancia, y ello pudo verse dramáticamente en 1914, cuando
el jefe de las tropas vencidas en la guerra, que había firmado
un armisticio con el gobierno conservador y que pertenecía a
las élites letradas del país, Rafael Uribe Uribe, fue asesinado a
hachazos en las gradas del Capitolio por un par de artesanos
fanatizados por el discurso oficial.

Era un grave presagio: cuarenta años después, guerrilleros liberales como Dúmar Aljure y Guadalupe Salcedo, que
habían encabezado la resistencia contra la violencia conservadora y que habían entregado las armas confiando en el
indulto y en la reinserción a la vida civil, fueron asesinados
en las calles de Bogotá en una reviviscencia asombrosa de las
costumbres de Pedro de Ursúa, quien en el siglo XVI mataba
a los jefes indios y a los negros cimarrones rebeldes en los
mismos banquetes en que celebraba sus pactos con ellos.

A lo largo del siglo no hubo concesión política hecha por
el poder que no fuera negada violentamente por fuerzas os-
curas en las calles. Los rebeldes reinsertados fueron muchas
veces eliminados después de haber confiado en las instituciones, y finalmente ya ni siquiera se esperó a que los insurrectos entregaran las armas. A partir de 1986, los miembros
pacifistas de la Unión Patriótica, el partido político que había
sido fundado para que la guerrilla de las FARC se reintegrara
a la sociedad, fueron asesinados por miles antes de que la
guerrilla se desmovilizara. Sus verdugos los acusaban de ser

guerrilleros, pero si fue posible exterminarlos a mansalva en las calles es porque eran ciudadanos inermes.

Gabriel García Márquez cuenta en sus memorias que cuando pasó por la plaza de Ciénaga, rumbo a Aracataca, donde iban a vender la casa de la infancia, su madre, Luisa Santiaga, se volvió a señalarle la gran plaza agobiada por el sol y le dijo: "Mira: ahí fue donde se acabó el mundo".

Esa típica frase del realismo mágico podría ser algo más, podría ser el símbolo de algo grabado en lo profundo de la conciencia de los colombianos. A lo mejor es verdad que en esa plaza, un día de 1928, se acabó un mundo: la confianza que los colombianos habían puesto en las instituciones de la república conservadora, porque nadie ignora que a partir de ese momento aquella república empezó a desmoronarse, y con ella una época de la sociedad colombiana, la época de la arcadia campesina, de la aldea piadosa, hospitalaria y confiada, donde se podía pescar de noche, donde se podía saludar con alegría al que se encontraba por el camino, donde no se tenía miedo de los desconocidos. Pero la paz que comenzó en 1902 no había durado treinta años, y ya empezaban las tensiones y la violencia fanática contra los liberales que denunciaría Gaitán en sus discursos famosos.

Era la época de los indígenas liderados por Manuel Quintín Lame, luchando por su tierra y por ser respetados como comunidades distintas en el seno de la sociedad; era la época de la lucha de los braceros del Magdalena; era la época de la lucha de María Cano por los derechos de los trabajadores, esa

época que culminó con el movimiento de los bananeros de
Ciénaga. Un viejo malestar social de esclavos liberados sólo
de comida y de techo, de indios aculturados abandonados
a la pobreza y a la ignorancia, de trabajadores maltratados,
de linajes oscuros que debían malvivir en las orillas de un
mundo, empezaba a tomar la forma de una lucha por los
derechos de las minorías, de los trabajadores, de las mujeres,
de las regiones olvidadas, de campesinos sin tierra, y de un
modo creciente se fue recurriendo a la violencia para anular
y desalentar esas luchas.

El malestar social crecía a medida que el viejo país vuelto
invisible por el discurso formal de la república se iba haciendo
sentir. Porque a medida que crecían las ciudades, a medida que
llegaban las fuerzas de la modernidad en las comunicaciones,
en el transporte, en la urbanización, no podían dejar de llegar
también las ideas de la modernidad, las luchas de una nueva
edad, sectores que exigían su presencia en el orden social,
verse integrados, reconocidos, respetados por el poder.

La república liberal al comienzo intentó encauzar esas
fuerzas, representar a ese mundo silenciado e invisible que
reclamaba su lugar en la historia, y era ese el momento en
que el liberalismo postergado podía haber encauzado el rumbo de la nación, fortaleciendo a las comunidades, apoyando
las fuerzas que reclamaban un orden moderno, escuchando
a los intelectuales que estaban construyendo un discurso
adecuado a los nuevos tiempos.

Gentes como Ignacio Torres Giraldo, como María Cano,
como Antonio García; pensadores originales y admirables como
Fernando González, que estaba transformando la vieja

lengua de curas y de políticos, de manipulación y de hipocresía, en otra cosa, en un vigoroso instrumento de reflexión y de rebeldía, una crítica acerada de las deformidades sociales, un discurso que, articulado desde la provincia antioqueña, desnudaba las imposturas de la élite central, elevaba al nivel de obra de arte la crítica de las costumbres, y no discurría desde ninguna doctrina política sino desde el valor civil, desde la lucidez de un fino observador de la sociedad, de alguien que advertía en el racismo y en el clasismo de la sociedad colombiana la gestación de una especie de fascismo solapado e hipócrita, una crítica moral y filosófica de las graves carencias de nuestra sociedad, de la ausencia ya peligrosa de toda modernidad en el pensamiento de la dirigencia.

Pero hasta el pensamiento de este vigoroso crítico de la sociedad en su conjunto fue sometido a la antigua estrategia de volverlo invisible. En Colombia, para el mundillo oficial, es como si Fernando González no hubiera existido, y ello es como si Francia hubiera borrado la obra de Voltaire, como si nadie hubiera oído a Sartre en el siglo XX. Porque Fernando González es uno de los más valiosos voceros de la Colombia escamoteada por el discurso oficial, que se atrevió a pensar de un modo original, que corrió el riesgo de equivocarse pero que no calló jamás ante los crímenes, ni condescendió con la barbarie, ni legitimó la arbitrariedad, ni se acobardó ante un poder que procuraba anular el pensamiento, acallar la insatisfacción, y sólo premiaba la sumisión y la obsecuencia.

Nos quedaron las estampas de la arcadia rural: las acuarelas verbales de Luis Carlos López en Cartagena, los cuadros de costumbres de Tomás Carrasquilla convirtiéndose en novelas, el alma campesina vibrando en las cuerdas de las guitarras, los tiples y las bandolas, ese mundo humilde y consternado que nombraban los bambucos y los pasillos, y la conciencia creciente de que también para nosotros iba a llegar el mundo urbano que ya se abría camino en México y en Buenos Aires.

Los años veinte eran una cosa en las aldeas olvidadas del mundo y otra en las ciudades que oían el rumor del mundo exterior, las modas femeninas que copiaban en sus caricaturas los dibujantes de la revista *Fantoches*, los automóviles que empezaban a circular por las calles estrechas de Bogotá y Medellín, de Cali y Barranquilla, las primeras grabaciones de acetatos en los estudios de Discos Fuentes.

Tal vez por su posición geográfica, tal vez por su diversidad étnica, tal vez por la importancia que tuvo siempre la lengua como unificadora de esta sociedad, tal vez porque por cada costado Colombia mira a un mundo distinto, lo cierto es que en el país siempre se escucharon todas las canciones del continente: los corridos y las rancheras mexicanas, los sones y los boleros cubanos y puertorriqueños, la música del sur que ya volaba en la radio, pasillos ecuatorianos, cuecas chilenas, zambas argentinas, valsecitos criollos peruanos, música de arpas del Paraguay. Ese mundo exterior al que las élites se cerraban políticamente le iba llegando al pueblo por el camino de la sensibilidad y del sentimiento.

La élite vergonzante no se reconocía en este mundo, pero el pueblo ni siquiera tenía que preguntarse si se reconocía en él: allí estaban *La múcura* de Crescencio Salcedo, *El gallo tuerto* y *La piragua* de José Barros, ese tren como un diablo de las canciones de Escalona, el arte de nombrar a Urumita y a Fundación, el pájaro amarillo que viene volando por el juncal florido del riachuelo, el hombre que mirando el paisaje, casi sin esfuerzo, lo convierte en estas palabras inolvidables: "El vaquero va cantando una tonada y la tarde va muriéndose en el río", y allí están esa llorona loca que sale por una calle de Tamalameque, ese hombre del río que para expresar que está enamorado de una momposina sólo necesita decir "mi vida está pendiente de una rosa"; y sin duda es el muelle de Puerto Colombia, por donde había intentado entrar la modernidad en el país, el que le hace decir a Campo Miranda: "Sobre la arena mojada, bajo el viejo muelle, la besé con loca pasión, que ese era un amor perdido, perdido en la playa, perdido en la bruma del mar"; y allá en el litoral del Pacífico alguien será capaz de estas estampas nítidas y tiernas: "La palma del chontaduro, la raíz también se pudre, el hombre cuando es celoso la mujer también se aburre, culebrita blanca, eh, culebrita negra, eh"; y todo iba ascendiendo a la música, los desiertos del centro de La Guajira, y allá La Guajira arriba, donde nace el contrabando, y el río Guatapurí, y el lamento de que Santa Marta tenga tren pero no tenga tranvía, y los cocheros de Chambacú, y el hombre vuelto caimán que después se va para Barranquilla.

Por todas partes el país emergía a la conciencia y al lenguaje y era celebrado, y no lo celebraban sólo las cuerdas y los tambores y las voces, sino los cuerpos en la cumbiamba interminable, el fuego de las velas que giran en la noche, los cantos de vaquería por las largas llanuras de Córdoba, las tamboreras de la ciénaga, los gaiteros de San Jacinto, los corraleros de Majagual, y las chalupas del río, y el lavar de las lavanderas y el pilar de las pilanderas, y esa negrita que tímidamente se asoma en la canción de los blancos y que viene a ellos "en la noche de un amargo penar", y ese mestizo triste y conversador que le cuenta a la tendera que la india lo ha dejado y que no volverá a la choza, y ese habitante de las orillas del Magdalena que nos sigue contando que su morena se le fue una noche, en plena subienda, con un boga traicionero que le dijo cosas bellas, y que no quiere ya ver el río porque piensa que en esas canoas que cruzan hacia Ambalema irá ella muy contenta con ese ladrón tan bien hablado.

No es sólo el reconocimiento minucioso de la geografía, no es sólo la irrupción de esa fauna silvestre y de esa abigarrada flora tropical que salta así de las láminas de Matís y de Rozo a las letras de las canciones, todos esos sietecueros y guayacanes, gualandayes y cámbulos, guaduales y algarrobos, acacias y arrayanes, nidos colgantes de oropéndolas, mirlas que cantan por las mañanas, turpiales de las selvas antioqueñas, cucaracheros y gorriones, torcazas y garzas morenas, ceibas y montañas azules, franjas de tierra labrantía, llanos que son el paraíso, y el mismo río Cauca de León de Greiff y de Barba Jacob, y el mochuelo de los Montes de María, no es sólo eso sino a través de esto la sensibilidad, la ternura, la sencillez de un mundo convertido en letras cordiales y delicadas melodías, la espontánea celebración de un mundo infinitamente querido, de climas propicios, de temperaturas que nunca son intolerables, ese mundo que tendría todas las condiciones para ser una morada como la que añora Aurelio Arturo en sus poemas, y que lenta e insensiblemente fuimos convirtiendo en un espacio de tragedia y en un escenario de horror.

Tal vez ese mundo de confianza y de convivencia, esa arcadia feliz que finge nuestra nostalgia, no era algo tan extendido ni tan indudable. Tal vez una prueba dolorosa de que algo venía mal está en una noche de 1864, cuando el abuelo de José Asunción Silva, el viejo comerciante bogotano José Asunción Silva Fortoul, estaba con su hermano Antonio en la hacienda que ambos compartían en la sabana de Bogotá, y fueron asaltados por bandidos que entraron de repente, y asesinaron a garrotazos al viejo patriarca. Antonio, quien consiguió huir en la noche por la llanura, quedó tan consternado por ese hecho que vendió todas sus propiedades, se compró un piso en París y se fue a vivir allí el resto de sus días.

Sabemos que las guerras perturbaban cíclicamente la vida de las gentes, pero esta incursión de la barbarie y del horror en una noche cualquiera en una casa de campo tan cerca de la capital de la república parece decir otra cosa: que ya en el siglo XIX había hordas al margen de la sociedad que perpetraban crímenes absurdos en medio de la paz de los campos. Y ¿qué se podía esperar de una historia en la que miles de seres quedaron al margen de todo proyecto de civilización, de todo esfuerzo de inclusión, de todo proceso educativo y cultural? Nada como una sociedad que expulsa y que desampara, que priva a los seres humanos de ternura y de dignidad, para engendrar monstruos.

Y no puede extrañarnos que de un modo creciente Colombia se haya convertido en una fábrica de monstruos, seres que parecen escapados de las cosmogonías bárbaras, criaturas de horror y de soledad que parecen brotar de las tinieblas del inframundo. No sé de un país en el continente americano que haya producido tantos monstruos, monstruos que en su momento llenaron las pesadillas de una generación y oscurecieron con su sombra las cunas de los niños y la soledad de los ancianos.

Nada sería más cómodo y más tranquilizador que mirarlos como los responsables de todo, como los culpables de una edad de miseria, pero yo sólo puedo verlos como los productos atroces de una larga historia, a lo mejor como una tragedia que se alimentó de nuestras miserias y repulsiones, de nuestra ignorancia y de nuestras cobardías. Las guerras se volvieron cada vez más cobardes, y eso es típico de esta época que mata a distancia y que cada vez arriesga menos en el ejercicio de su violencia. Y nada es más escalofriante que los que obran a sangre fría contra seres inermes, en la hora desalmada de las decapitaciones, las torturas y los descuartizamientos.

Hechos como esos sin duda pueden ocurrir en todas partes, aunque su proximidad nos aterra y sus dimensiones nos desalientan, pero en cualquier lugar del planeta las sociedades reaccionan, la comunidad se protege no sólo en instituciones, normas y cuerpos policiales sino en la corrección de las tragedias sociales, en la reflexión y en la búsqueda de un orden donde esas fuerzas del rencor puedan ser conjuradas.

Lo que nos ocurrió fue distinto: esas cosas que en el siglo XIX podían ser excepciones se fueron convirtiendo cada vez más en la norma. Las engendraban la exclusión y la miseria, las alimentaba la ignorancia, las multiplicaban las guerras y las reconfirmaba toda paz sin consecuencias sociales, sin reparaciones colectivas, sin políticas de reinserción y de reconstrucción del tejido social, toda paz hecha de promesas a menudo incumplidas.

En ciertos momentos de nuestra historia hubo alcaldes que decretaron la tala de árboles en los pueblos con el argumento de que en ellos o a su sombra podían agazaparse los bandidos. Nuestra historia es la historia de una creciente pérdida de la confianza colectiva, de la creciente transformación de los campos en regiones de temor y acechanza, y es doloroso recordar que ante el clima atroz de las expulsiones y los destierros, de las amenazas y los desplazamientos, hubo ocasiones en que la propia dirigencia nacional aprovechó ese horror para recomendar y propiciar el éxodo hacia las ciudades con elaborados discursos académicos, con el pretexto de que la ciudad necesitaba esa fuerza de trabajo, de que allí habría por fin seguridad y empleo, de que en las ciudades estaba el futuro.

Era inevitable que el discurso clerical, el menosprecio por los pueblos indígenas, el desprecio por los hijos de África, la vergüenza del mestizaje y la mirada colonial sobre el territorio, lo mismo que el extremo personalismo que nos llevaba a ser incapaces de asumir tareas históricas colectivas, cosas que habían caracterizado a la dirigencia colombiana durante mucho tiempo, encarnaran de un modo extremo en un líder político.

Ya en los años veinte comenzaba a surgir en la vida pública del país un hombre tremendo. Enérgico, elocuente, inflexible, sombrío, lo más inquietante que hubo en Laureano Gómez fue que todos esos prejuicios que habían impedido por siglos que Colombia se reconociera en su territorio, dignificara a sus ciudadanos humildes, modernizara sus ideas, diera cabida a pensamientos y emociones distintas en el orden cultural, se manifestaron en él unidos a un gran magnetismo personal, a una gran fuerza oratoria, a un misterioso poder de influencia, y a un importante peso político ante los partidos y en el parlamento, que contribuyeron mucho a que Colombia se hundiera en una época de fanatismo militante, de sectarismo e intolerancia.

Había surgido en el seno de ese mismo Partido Conservador al que la historia había ido llevando a una suerte de tímida liberalización. No debía gustarle a aquel jefe sombrío el modo como su partido se veía obligado a abrirse al mundo. Los conservadores intentaban modernizar el país sin soltar la mano de los poderes clericales y sin renunciar a su retaguardia en los grandes latifundios; olvidaban por momentos el culto extremo por la Iglesia y por la imitación cultural; recibían a los ingleses y sus ferrocarriles, a los alemanes y su industria; trataban de unir con vías y con medios de comunicación el país vastísimo de enormes cordilleras incomunicadas, de regiones aisladas, de naturaleza indomable y retos tecnológicos casi insuperables.

Ese partido incluso permitía a veces que hombres de origen humilde, que se habían abierto camino en la vida pública por su talento y su espíritu de colaboración, llegaran a ser administradores del poder. La dirigencia colombiana más de una vez permitió que hombres que no pertenecían a la élite, pero que se identificaban con su modelo mental, accedieran a importantes cargos públicos, y en varias ocasiones Colombia pudo comprobar cuán trágico es que alguien tenga el gobierno de un país sin tener el poder de tomar decisiones reales.

Uno de ellos fue Marco Fidel Suárez. De humildes orígenes, se había destacado como gramático y como experto en derecho internacional, hasta el punto de que en cierto momento no había en toda la república nadie tan capaz como él para manejar las relaciones internacionales. No se salvó de ser el canciller de todos los gobiernos, y terminó designado candidato de su partido a la presidencia de la república.

En 1918 fue elegido presidente. Fue él quien apoyó la creación de Scadta, la empresa colombo-alemana que fue cronológicamente la segunda aerolínea comercial del mundo; fue él quien por primera vez le dio al país un orden fiscal al establecer el impuesto sobre la renta.

El gran duelo de su vida había sido la pérdida de su esposa, quien lo ayudó a superar las frustraciones de una infancia muy pobre, y el eterno fantasma de la ilegitimidad, con que aquí se acosaba a los hijos naturales. Poco después de su posesión sobrevino para él una tragedia mayor: la muerte de su único hijo en un accidente en los Estados Unidos.

Era tan pobre Suárez, y tan recto, que sólo acertó a vender sus salarios y sus gastos de representación para el triste

propósito de repatriar los restos de su hijo, a cuyo funeral ni
siquiera había podido asistir, cuando en un caso como ese
se entiende que el Estado habría tenido que correr con los
gastos. Pero bastó ese gesto de fragilidad y honradez humana, en un momento de aflicción personal, para que el gran
inquisidor emprendiera contra Suárez una campaña infame
en la que lo acusaba de ofender la dignidad de la patria por
haber enajenado sus salarios.

Ese viejo formalismo para el cual la patria no es el dolor
de los ciudadanos sino el culto al papel sellado y a las formalidades se alzó como una ola, acosando al pobre mandatario
hasta la humillación y el tormento moral, y obligándolo a
renunciar a la presidencia. Cobrada su primera víctima en
un hombre humilde de su propio partido, Laureano Gómez
mostró qué espíritu implacable estaba llegando a nuestra
sociedad: la incapacidad de conmoverse ante el dolor de un
anciano, el modo como para cierto espíritu formal no hay
consideraciones humanas que valgan frente al rencoroso
poder de la política.

Parece una anécdota, pero es el símbolo de un país donde
el poder del discurso y el culto de las formalidades y las apariencias pesaban más que el elemental sentido de la justicia.
Sus contemporáneos llamaban el Monstruo a ese tribuno
inapelable, y aunque no fue él quien inventó en Colombia
el racismo, el desprecio por el pueblo, la obsesión contra
nuestra diversidad, durante mucho tiempo sí fue su principal
representante.

De un modo que parecería incomprensible, Gómez se
alió con los liberales ascendentes para precipitar la caída

del Partido Conservador, del que él formaba parte, y de la república conservadora, pero a partir del momento en que triunfó la indecisa república liberal, no dudó en emprender una campaña de intolerancia contra los liberales. Su oratoria implacable desempeñó un papel clave en el desencadenamiento de la violencia de los años cuarenta y cincuenta, y su espíritu encontró eco muy pronto en otros dirigentes políticos del medio siglo.

Es posible que en la hostilidad contra Marco Fidel Suárez haya pesado incluso su condición de hijo natural: el espíritu clerical y fanático de Laureano Gómez debía sentirse ofendido por el hecho de que el primer magistrado de la nación tuviera esos orígenes. De manera que una vieja y sostenida costumbre de irrespeto ante la condición humana tuvo cada vez más presencia en los círculos del poder.

Gómez encarna también el extremo personalismo de los políticos colombianos. Ese personalismo hizo que pesara siempre más el interés de los jefes que el de los partidos, y más el poder de los líderes que el de los programas. Laureano sacrificó primero a su propio partido en nombre de la nación, después al partido contrario en nombre de la tradición, y no vaciló más tarde en sacrificar a la nación y a la tradición en función de su orgullo personal. Hay que ver su sonrisa en fragmentos de viejas películas, la sonrisa de los déspotas satisfechos, para entrever a un hombre cuyo principal desvelo es conseguir que todos estén sometidos a su influencia.

El proyecto de Gómez resume el espíritu que imperó en Colombia a lo largo del siglo XX: el poder de la Iglesia, la negación de la diversidad, la negativa a reconocerse en el territorio, la exaltación de la lógica de la conquista española, la glorificación del conquistador blanco sobre las supuestas razas inferiores, el encierro en un nacionalismo excluyente que discrimina a su propio pueblo e inviste de derechos sólo a una élite privilegiada, el ejercicio del gobierno con espíritu de cruzada religiosa y racial. Varias veces en la historia, para esconder apetitos personales, o intereses de sectores empeñados en anular la diversidad del país, le fue ofrecido a Colombia ese coctel amargo de sangre y agua bendita.

Gaitán fue el primero en advertir que el anuncio de los jefes liberales de realizar por fin las transformaciones aplazadas de la sociedad estaba vacilando. Todo liberal verdadero podía comprender que lo que se escondía en el vuelo solemne de esa frase: "La gran pausa", de Eduardo Santos, era la renuncia de la élite llamada liberal a cumplir las promesas que la habían llevado al poder; su decisión de acomodarse al modelo imperante, abandonando así a millones de personas a la incertidumbre y a la violencia.

Impresionado ante ese brusco abandono de los principios, ante esa evidente traición al pueblo liberal que había creído en el discurso de la "Revolución en marcha", a los campesinos que querían tierra, a los estudiantes que soñaban con una revolución educativa, a los trabajadores que esperaban una legislación laboral respetuosa y digna, Gaitán comprendió de repente lo que había ocurrido: los dos partidos se estaban confundiendo en un solo proyecto, y esperaban que el pueblo aceptara la postergación indefinida de sus esperanzas.

Fue eso sin duda lo que desató el trueno de su elocuencia. En sus discursos, desde entonces, no dijo otra cosa, sino que la oligarquía liberal-conservadora había conformado una tenaza para garantizar privilegios, y que el pueblo había quedado por fuera del pacto, como siempre. Entonces no sólo se propuso ser la encarnación de ese proyecto nacional abandonado, fundamental para que Colombia accediera a la modernidad: fue muy claro en precisar que la lucha ya no podía estar dirigida por esos dos partidos aristocráticos, que el debate político era ahora entre el pueblo postergado y las élites que lo excluían y lo despreciaban.

Los campesinos liberales y conservadores tenían que comprender que esos dos partidos, que no eran dos doctrinas sino una sola ambición, no los representaban y tal vez no los habían representado nunca; que más bien los habían utilizado mucho tiempo en proyectos de los que el pueblo no era jamás el beneficiario.

Si la lengua había sido el instrumento para articular el discurso colonial que dominó a Colombia por siglos, si la lengua modulada en los púlpitos había sido el instrumento para aletargar al pueblo, si la lengua espasmódica de las tribunas le había dado forma más tarde al relato de la república, también la lengua de repente se convirtió en el instrumento que vino a darle al pueblo otra idea de sus posibilidades y de su propio poder.

Algunos han sugerido que no era simplemente que el discurso de Gaitán se dirigiera al pueblo, sino que ocurría algo más mágico o más misterioso: que el discurso de Gaitán le iba dando forma a ese pueblo al que le hablaba. Podríamos decir metafóricamente que aquel discurso hacía surgir al pueblo, porque le daba conciencia de sus propios anhelos, de sus necesidades y derechos.

Por eso creció con tanta rapidez, por eso en pocos años Gaitán se convirtió en la voz de un país, en la voz de una época y también en la voz de un mundo postergado y excluido, de una humanidad borrada tercamente por el relato colonial, un relato que la hacía invisible. Y de repente el pueblo verdadero, el que Miguel Antonio Caro había ninguneado en latín, el pueblo mestizo, indio, negro, mulato, el pueblo de las provincias, de las montañas, del llano, de los valles, de los litorales; esos nietos de esclavos, esos trasnietos de los indios borrados por la espada, los vaqueros, los peones, los braceros, los sin tierra, todo ese pueblo apareció como el genio que brota de la lámpara.

Existió, existieron: se vieron reflejados por primera vez con su rostro y sus sueños en un idioma que siempre había sido utilizado para negarlos, y la voz de Gaitán fue como el poema de Juan de Castellanos: un mundo ingresando en el lenguaje; y la voz de Gaitán fue como la Expedición Botánica y como la Comisión Corográfica: un territorio apareciendo en el espacio de la política; y la voz de Gaitán fue como el grito poético de Barba Jacob: el alma de un mundo irrumpiendo con pasión y con furia en el discurso.

Y los dueños del poder que por siglos habían reinado sobre el silencio de los inocentes se estremecieron, porque eso que siempre habían temido estaba despertando, eso que siempre habían silenciado estaba hablando y eso que siempre los había avergonzado ahora pretendía un lugar en la historia.

No era Gaitán: era por fin el siglo XX lo que se alzaba en ese clamor; la modernidad aplazada volaba en su grito; un clamor de justicia que venía de la reforma mexicana y de las luchas de Eloy Alfaro, de la energía poderosa y rebelde de Vargas Vila; eran las luchas de Quintín Lame y de María Cano; era el grito de ese líder de los bananeros de Ciénaga que cuando oyeron la advertencia del comandante de la tropa que les daba un minuto para abandonar la plaza si no querían ser ametrallados, hizo sonar en el silencio estas palabras: "Les regalamos el minuto que falta".

Esa dignidad, ese orgullo, surgían en la voz de aquel hombre, en un discurso que conmocionó de tal manera al pueblo colombiano que todavía hoy, setenta años después, no lo escuchamos como un documento del pasado, como la anécdota de una época, sino como una promesa viviente. Porque sólo Gaitán despertó al pueblo invisible y lo convocó a una transformación histórica.

Las reformas liberales postergadas por décadas, las reformas que había emprendido México ochenta años atrás, confirmarían finalmente nuestra vocación republicana, pondrían al pueblo por fin en la leyenda nacional, les darían un destino de orgullo y de dignidad a esas aldeas marginadas, a esas parcelas hundidas en el olvido, a esos mineros, a esos pescadores, a esos obreros, a esos campesinos, y harían verdad las promesas de los tiempos nuevos, la dignidad de los ciudadanos y el rigor de los oficios, el respeto del trabajo y el orgullo de la tierra, las obras públicas y la cultura creadora; los ferrocarriles y los puertos, las carreteras y los sistemas de transporte que una dirigencia mezquina predicaba pero no hacía, prometía día y noche pero no realizaba jamás.

El liberalismo venía en ascenso. Cuando ganó por primera vez las elecciones, en 1930, con Enrique Olaya Herrera, lo logró porque el conservatismo se había dividido. Pero en 1934 la candidatura de Alfonso López Pumarejo fue tan exitosa que obtuvo la mayor votación de la historia, casi un millón de votos. En esas elecciones y en las dos siguientes, el Partido Conservador se abstuvo de participar: no debió de ver con buenos ojos que el gobierno de López hubiera abierto el camino para que los ciudadanos votaran sin importar su grado de ilustración ni su nivel económico.

Lo cierto es que bastaron dieciséis años de república liberal para que el liberalismo se convirtiera en mayoría, y para que la presión popular se hiciera en él cada vez más fuerte. Los jefes conservadores, cuyos candidatos eran designados en últimas por el arzobispo de Bogotá, rechazaban de tal manera la liberalización del país, que Laureano Gómez amenazó con una guerra civil si en el 42 ganaba López de nuevo.

López ganó, pero el impulso liberal ya no estaba en los jefes, que se habían rendido a la plutocracia, sino en el sector popular, donde empezaba a destacarse Gaitán. Éste había hecho un debate en el Congreso por la masacre de las bananeras, como alcalde de Bogotá había establecido el valor oficial de la hora de trabajo, y como ministro de Educación se había preocupado por los comedores escolares, por la higiene y el calzado de los trabajadores, y por importantes iniciativas como el cine ambulante para todos, el Salón Nacional de Artistas y el programa masivo de extensión cultural.

Cuando los jefes liberales vieron que el discurso de Gaitán se abría camino, y que el pueblo liberal quería de verdad el cumplimiento de la Revolución en marcha que ellos habían detenido, comprendieron que el país estaba decidido a elegir a Gaitán como presidente de la república, y entonces optaron por nombrar como candidato oficial a un hombre que no tenía ningún ascendiente sobre las multitudes: Gabriel Turbay. Una vez más, Eduardo Santos entró en acción: logró que la maquinaria oficial del partido apoyara al candidato de los dirigentes contra el hombre que despertaba el entusiasmo popular.

A sabiendas de que Gabriel Turbay no tenía votos propios, que lo suyo era el caudal de los directorios políticos, Gaitán no aceptó plegarse a esa maniobra que montaban los jefes liberales para detener su camino. El centro de su discurso era la crítica de la política de puertas cerradas a espaldas de los ciudadanos, las maniobras de los directorios a los que él llamaba convivialismo, de modo que avanzó en sus viernes culturales, en sus giras por el país, en sus discursos radiales y en su convocatoria a las multitudes, y renunció a dejar las decisiones en manos de los jerarcas.

Éstos reaccionaron cerrándole el paso. Si se hubiera confiado en el clamor popular y no en la voluntad manipuladora de la élite, si Gaitán hubiera sido el candidato en el 46, la historia de Colombia habría sido otra, pero el desprecio por el pueblo era ya una tradición de la dirigencia, y el espíritu señorial estaba preparando otro medio siglo de postergación del proyecto nacional, de la modernidad mental y de la reforma liberal que el país requería.

Con sólo 560.000 votos, el conservatismo ganó la presidencia, porque aunque hubo más de 800.000 votos liberales, éstos se dividieron entre los 359.000 de Gaitán y los 440.000 que votaron por Gabriel Turbay. Gaitán sabía que si se plegaba a las decisiones de los jefes liberales, que ya habían abandonado al pueblo, sus propias huestes no lo seguirían más; sabía que sólo demostrando que tenía un caudal electoral propio podía hacer que los jefes liberales lo reconocieran, pero no pudo superar el escollo que le atravesaba la aristocracia de su propio partido.

Sé de una niña de doce años que en 1946 le preguntó a su padre liberal si iba a votar por Gaitán. Su padre le respondió que, aunque admiraba a Gaitán, tenía la obligación de votar por Turbay, el candidato oficial, porque esa era la consigna que había dado el partido. La niña le dijo, con cierta angustia: "No. Él es, él es". Y dos años después la noticia de que Gaitán había sido asesinado fue una de las grandes penas de su adolescencia.

Las elecciones convirtieron a Gaitán en el jefe del liberalismo y en el seguro candidato a la presidencia. Lo que los jefes liberales temían se había cumplido, el camino estaba abierto para que el pueblo ingresara en la leyenda nacional. Pero la suerte de Colombia quedó sellada, porque el sector más recalcitrante del viejo país tomó la decisión desesperada, y muy colombiana, de derrotar a las nuevas fuerzas históricas no polemizando con ellas sino intentando su exterminio.

El resultado más directo de la labor de Gaitán, del poder de su elocuencia y de la fuerza pedagógica de su oratoria, fue el surgir de una conciencia política desconocida en la sociedad colombiana. Todo el mundo sabía de él, el pueblo se estremecía con sus palabras. Había un clima revolucionario, pero Gaitán no hablaba de revolución: era un liberal convencido, tenía un programa de reformas profundas, sabía que lo que nos había faltado siempre era adecuar la realidad al discurso de la igualdad ante la ley, de los derechos humanos y de la dignidad ciudadana, pero también tomar posesión de un territorio muy distinto del de Europa o de los Estados Unidos, construir una economía en diálogo con esta naturaleza y estos climas, convertir en una prioridad el bienestar del pueblo, afirmar unas tradiciones culturales, dejar que el país expresara su diversidad y su originalidad, y oponer con firmeza un criterio de dignidad al diálogo con los grandes poderes internacionales.

Su consigna principal no era la destitución de los poderosos y de los privilegiados, sino "la restauración moral de la república", algo que tenía que ver con la legitimidad, con la decencia, con el respeto por un país, por unas costumbres y por un sentido de comunidad. Y si eso podía decirse hace setenta años, si Gaitán veía quebrantada la moralidad pública hace ya siete décadas, qué no podríamos decir hoy después de las borrascas del siglo XX, después de las sucesivas tragedias que desgarraron la nación.

Fiel a su pacto con la modernidad, Gaitán fue tal vez el primer político en utilizar la radio como instrumento de difusión de su pensamiento, y allá lejos, en las remotas provincias, entre los tangos de Gardel —a quien la muerte había vuelto colombiano—, tangos que ya anunciaban nuestro porvenir urbano, entre las rancheras mexicanas, los sones cubanos y los pasillos andinos, los campesinos sintieron que llegaba el futuro.

En la plaza de Bolívar de Bogotá, en marzo de 1948, el día de la Marcha del silencio, Gaitán pronunció su "Oración por la paz", porque ya crecía la violencia oficial del régimen de Ospina Pérez contra los liberales: el clima de intolerancia y de persecución se agravaba. Entre la matanza de las bananeras de 1928 y esta Marcha del silencio habían pasado veinte años de creciente campaña contra las ideas liberales.

La fuerza del gaitanismo atraía a los pobres de los dos partidos, pero también los apartaba del ámbito de influencia de los viejos líderes y de sus discursos. El bipartidismo, que había confluido en una sola doctrina, estaba perdiendo su poder sobre la sociedad. El sermón clerical y el discurso de los notables estaban perdiendo su hegemonía sobre los espíritus, y la reacción del viejo poder no se hizo esperar.

Los disparos que a la una de la tarde del 9 de abril de 1948 segaron la vida de Gaitán en la esquina de la carrera séptima con avenida Jiménez, produjeron una explosión de ira, una ola de incendios que arrasó el centro de Bogotá, dejó incontables muertos y por un momento estuvo a punto de llevar al gobierno a los insurrectos. Las huestes esperaban que el Partido Liberal, al que Gaitán todavía pertenecía, acompañara su avance hacia la toma del poder, porque no dudaban de que el viejo establecimiento era el que había armado la mano fanática o mercenaria que detuvo al líder a las puertas mismas de la transformación de Colombia, y no querían permitir que el pueblo fuera excluido una vez más de las decisiones.

Nadie salía de su estupor. Los rebeldes que construyeron formas de poder popular en distintas ciudades no sabían bien hacia dónde dirigir esa furia represada, ese dolor contenido. Gaitán, a pesar de su oratoria altiva, no era partidario de la violencia, siempre había creído en la democracia, había confiado en las instituciones, y no se le había ocurrido preparar a nadie para afrontar un asalto a traición.

Pero la dirigencia liberal cerró filas alrededor del gobierno conservador de Mariano Ospina Pérez, y el incendio del dolor popular, de la indignación y de la orfandad se fue apagando en la capital y en las provincias, dejando en el alma de los colombianos humildes, ansiosos de un cambio, la sensación de que el barco del futuro había naufragado antes de zarpar.

A partir de ese momento, la estrategia del establecimiento fue implacable: acusó a los gaitanistas de haber incendiado la ciudad, dirigió contra ellos el fuego de la represión, pero lo que inmediatamente empezó fue una campaña de recuperación de su influjo sobre el alma del pueblo: fueron en busca de aquellos que habían caído en el desencanto ante los viejos partidos y se lanzaron a recuperarlos por el peligroso camino del fanatismo.

El partido de gobierno en realidad no agradeció que los jefes liberales hubieran corrido a sostenerlo cuando ya le faltaba apoyo social. El propio jefe liberal, Darío Echandía, quien pudo haber sido el candidato de unión del liberalismo en 1946, y se negó; quien pudo haber sido el líder de la multitud exaltada ante el asesinato de Gaitán y prefirió entrar a formar parte del gabinete del gobierno conservador, era el seguro candidato a las elecciones de 1950, pero al ver cómo asesinaban a su hermano en Bogotá en vísperas de las elecciones, renunció por segunda vez a la candidatura y dejó abierto el camino para que Laureano Gómez accediera al poder.

Como Marco Fidel Suárez, Darío Echandía era un académico que sabía que no tenía en las manos el poder real para conjurar las fuerzas terribles que arrastraban a su patria hacia el abismo: eran hombres perdidos en el dédalo de un poder ajeno, llamados por la historia a administrar un orden que no estaban en condiciones de cambiar.

No tuvieron el privilegio de ser fieles a sus convicciones profundas, como logró serlo Gaitán; no entendieron el reto que la historia les puso en las manos, y fueron un ejemplo de cómo utilizaba el establecimiento colombiano la inteligencia: sólo para cumplir tareas subalternas, pero sin ninguna capacidad para orientar el rumbo de la historia ni para tomar decisiones trascendentales. El poder que debían administrar no era suyo; los dueños del país eran otros.

La historia ya se abría en otra dirección. El discurso en que se habían confundido los partidos después de "la gran pausa" de Eduardo Santos, por razones de estrategia, se bifurcaba de nuevo. De repente, esos dos partidos que ya no tenían ninguna diferencia real ni un esquema de futuro que ofrecerle al país porque habían renunciado al proyecto de la modernidad, que sólo podían apelar al pasado como argumento, invocaron sus raíces históricas, convencieron a los dóciles ciudadanos privados de toda educación moderna de que los partidos eran pasiones hereditarias, magnificaron una telaraña de diferencias retóricas que nadie podría justificar, y en pueblos y campos creció de repente una discordia entre liberales y conservadores que ya no parecía posible.

Con el propósito de arrancar del alma del pueblo el discurso gaitanista, la esperanza que éste había sembrado, el gobierno de Gómez y el clero continuaron su campaña contra el liberalismo; los liberales a su vez emprendieron una campaña contra el Partido Conservador, y el viejo discurso manipulador tendió su sombra sobre los campos de Colombia, sembrando el miedo, la intolerancia y el espíritu de venganza. Gaitán no habría imaginado nunca que el país que él estuvo a punto de liberar de las garras de la superstición y del fanatismo, cinco años después estuviera desgarrado por el discurso de los viejos partidos.

Pero no era sólo el discurso. Tendríamos que decir, como Lucano en la "Farsalia", que pronto "se vio al crimen investido de legalidad". El gobierno conservador había armado a la policía contra los liberales, emprendiendo una estrategia de intimidación en las provincias, y en respuesta a esa atrocidad que se llamó la chulavita, los liberales armaron guerrillas con el apoyo de los directorios políticos.

No había combates: era una oscura guerra de emboscadas, de asaltos y ejecuciones, alentada por los dirigentes y en la que sólo se sacrificaba al pueblo. Antes de que alguien pudiera comprender lo que pasaba, pareció que medio país estaba matando al otro medio, pero en realidad eran grupos de activo sectarismo, armados por la aristocracia bipartidista, y la gran mayoría de los campesinos solamente padecía las consecuencias.

Gentes que se habían criado juntas, que habían convivido siempre, que conocían mutuamente a sus padres, sus tíos, sus novias, sus amigos, despertaron de pronto convertidos en adversarios irreconciliables. Por la acción de unas minorías fanáticas, gradualmente envilecidas por la propia dinámica de la violencia, las mayorías vivieron esa polarización en la forma de una pesadilla de angustia y de miedo.

No hay peores violencias que aquellas que no se comprenden: nadie parecía saber cuál era la causa del sectarismo que cayó sobre el país como una peste y puso a todo el mundo a vivir bajo amenaza. Como en un delirio de Kafka, cada quien parecía marcado por una culpa desconocida, era objeto de un odio que parecía estar en la atmósfera, culpas hereditarias por las que en cualquier momento se podía pagar con la vida, y la gente humilde de los dos partidos sufrió con la misma intensidad ese horror persistente y sombrío.

El lenguaje revelaba, una vez más, su extraño poder sobre los colombianos. Un discurso sin ningún asidero en la realidad movía muchedumbres. Al grito vacío de vivas y abajos ciegos, el pueblo que había estado a punto de romper su embrujo centenario, de dejar atrás sus cien años de soledad, se extravió en la locura. Una locura alimentada por los púlpitos y las tribunas, un odio estimulado por los prohombres más ilustres y más influyentes se regó como pólvora, y así se instaló lo que los historiadores llamarían la Violencia en Colombia. Habían terminado los tiempos en que al pueblo colombiano se lo podía dominar por el discurso; a partir de entonces sólo se lo pudo dominar por la violencia.

Los estudiosos de ese período nunca se pusieron de acuerdo en considerar a la Violencia como una guerra civil. Erick Hobsbawm ha dicho que fue la mayor movilización de civiles armados del siglo, pero no podemos decir que en ella hubiera propiamente batallas. Lo primero fue un clima de temor, una escalada de humillaciones contra los campesinos desde el poder y el proceso de armar guerrillas defensivas, pero todo avanzó en furor, sin que nadie hiciera algo por detenerlo y con todos los poderes contribuyendo a su crecimiento, en el viejo caldo de cultivo, harto descrito en estas páginas, de la discriminación, el desamparo, la pobreza y el resentimiento.

Las ofensas empezaron a provocar retaliaciones; sobre comunidades pacíficas anuladas por el miedo y bajo el fanatismo de los actores armados proliferaron fenómenos cada vez más escabrosos. Nadie ha hecho un examen de ese proceso gradual e inmisericorde de degradación de los hombres y de sus métodos de exterminio. Basta ver la lista de los 598 asaltos y masacres reseñados por los medios de comunicación entre 1946 y 1966, para sentirse ante el mapa abigarrado de un pavoroso recuerdo, como una ruta de escombros de viejos conquistadores, un holocausto bárbaro.

Las Tapias, Nemocón, Pamplonita, Manizales, San Cayetano, Ansermanuevo, Quinchía, Bogotá, Bucaramanga, Caicedonia, El Cocuy, Buenavista, Santuario, Chita, Maripí, Nunchía, Betania… La muerte recorría el territorio. Seis campesinos, 2 militares, 19 conservadores, 8 pobladores, 50 liberales, 22 campesinos, 4 policías… La enumeración era extenuante. Enciso, El Platanal, Saboyá, Majagual, Barichara; un país iba surgiendo nombrado por hechos de sangre, y dulces nombres de la geografía se iban viendo convertidos en cifras de horror: La Primavera, Naranjal, El Vergel, Los Cocuyos, Los Lulos, Miraflores, Piedra de Moler, El Yerbal, El Turpial, El Turpial, El Turpial, Yacopí, Urama, Barragán, Calarma, Guásimos, Frazadas, Moral, Pajarito… Uno no creería que le están hablando de masacres y de noches de sangre; no era eso lo que soñaron fundar los ilusionados pobladores del principio: La Belleza, El Silencio, Monteazul, Tortugas, Lozanías, Las Delicias, La Cristalina, La Estrella, Aguasal y Brillante, Río Lejos y El Porvenir…

El esfuerzo por extirpar la insumisión que había engendrado el gaitanismo estaba muy presente en el ánimo de los jefes, y ya el gobierno de Ospina Pérez había politizado la policía, pero en las elecciones de 1950, las que habría tenido que ganar Gaitán si el mundo hubiera seguido siendo el mismo, si la historia no hubiera cambiado de órbita, la negativa del liberalismo a participar permitió que finalmente llegara al poder el hombre de las convicciones inflexibles, el cruzado de las causas inexorables, Laureano Gómez, empeñado en detener la inconformidad popular, eso que él llamaba, hablando de las marchas gaitanistas, "la violencia tumultuaria".

Pero lo de Gaitán era, como en toda democracia vigorosa, más bien el fenómeno del pueblo en las calles. Si ante su asesinato se produjeron saqueos y pillajes, eran más bien la prueba en muchos sitios de la falta de un rumbo político para esa ciega reacción popular, de la falta de un proyecto compartido para encauzar la energía rebelde de las multitudes.

El pueblo colombiano, como su líder, había confiado en la democracia. La década siguiente obligó al gaitanismo perseguido a recurrir a la violencia para defenderse, y los horrores de la condición humana hicieron el resto.

Alguna vez el director de uno de los grandes diarios de Bogotá declaró que en Colombia siempre se había vivido bien, sin sobresaltos y en paz, hasta cuando Gaitán apareció con el discurso de que el pueblo era oprimido y de que existía un problema social. Añadió que a partir de aquel momento se había convulsionado el país. Es importante recordar esas palabras para entender el modo como la dirigencia colombiana entendió el tema central de la historia del siglo XX.

Este era de verdad el país de las treinta y dos guerras del coronel Aureliano Buendía; mucho antes de que Gaitán apareciera, ya el país se había desangrado en la guerra de los

Mil Días; antes de que su verbo empezara a tronar, se habían producido el crimen de las bananeras, la lucha de los indios, la exclusión de los hijos de los esclavos.

La anulación prolongada de un pueblo, su postración en la precariedad, el cierre de los horizontes y la falta de esperanzas para millones estaban allí desde siempre, y no conmovían a nadie. Cuando por fin un hombre formado en el pensamiento liberal, sensible a los argumentos de Voltaire y a la humanidad de las novelas de Víctor Hugo, vino a hablar de esos temas, ocurrió como en las leyendas antiguas: se le atribuía al emisario la responsabilidad del mensaje y hasta se lo declaraba culpable de crear una realidad que nadie podía negar.

Todavía hoy en Colombia los males no existen mientras no se hable de ellos, y el que se anima a hablar puede ser acusado de inventarlos. Pero ¿cómo podía el director del principal diario nacional no ver lo que tenía ante sus ojos, no advertir que existía la pobreza, que existía el abuso, que por todas partes persistían fenómenos aberrantes de esclavitud aceptada como eterna servidumbre, que cuatro siglos después de la Conquista y más de un siglo después de la Independencia existía no la mera exclusión sino el exterminio de indígenas en los Llanos Orientales?

¿Cómo podía no ver que aquí estaban por todas partes la discriminación de los negros, el maltrato contra las mujeres —las principales víctimas de la sociedad patriarcal—, la arbitrariedad con los empleados, la falta de toda formalidad en el trabajo, que esa masacre de las plantaciones de banano no podía ser un hecho intrascendente y casual? ¿Cómo podía hacer caso omiso de todo aquello y declarar, sin parecer cínico, que el país era un remanso de paz y de concordia?

El proceso se había cumplido a la perfección: la gente era invisible mientras no se la necesitara, su dolor era inexistente mientras nadie tuviera derecho a quejarse. La discriminación sólo era advertida por quienes la padecían e incluso ellos eran adoctrinados para considerarla natural; el irrespeto a la dignidad humana, imperceptible como una costumbre tan antigua que ya parecía formar parte del orden natural, sólo causaba malestar cuando alguien venía a mencionarlo pretendiendo que las cosas podrían ser distintas.

También a propósito de la muerte de Gaitán alguna vez Alfonso López Michelsen sostuvo que todo se había debido a una venganza personal, a un crimen pasional. El hecho de que el mayor líder político de una nación, que propuso transformaciones históricas, que iba a desplazar una larga tradición de egoísmo y mezquindad, fuera asesinado justo en el momento en que se convertía no sólo en el principal adversario político de la aristocracia sino en el líder de la sociedad y en el seguro presidente de la república en las elecciones siguientes; el hecho de que hubiera una campaña de difamación desatada en su contra por la gran prensa, que lo mostraba como enemigo de la civilización y jefe de unas hordas caníbales; el hecho de que nunca como entonces hubiera estado a punto de cambiar la historia en el único país del continente que no había emprendido una reforma liberal modernizadora, todo podía olvidarse para sostener una tesis que desdeñaba la evidencia y transformaba el magnicidio en una anécdota trivial.

Pero esas tesis formuladas en tono casi ingenuo no eran comentarios casuales, tenían una intención consciente: trivializar los grandes hechos para negar que fueran susceptibles de una interpretación histórica. Sólo cuando todos los acontecimientos se reducen a anécdotas privadas es posible mantener a la sociedad en el grado cero de la política.

Latinoamérica había vivido esfuerzos notables por construir democracias que no negaran sus rasgos locales, su composición humana, su exuberancia natural, los caminos cruzados de sus culturas. A Brasil, desde el comienzo, le había sido permitido seguir su propio camino, y lo más notable fue el hecho de que el emperador de Portugal, ante la inminencia de la invasión napoleónica, tomara la decisión de trasladar el corazón de su imperio a Rio de Janeiro.

Esto tuvo un efecto simbólico incalculable: por un azar histórico, el cuerpo y el alma del imperio portugués lograron coincidir en suelo americano. Después la independencia se logró de un modo casi incruento, y la alegría de Brasil, la confianza de su pueblo, el orgullo con que asume las fiestas de la mulatería, tienen que ver con esa afirmación inicial en un territorio y en una cultura.

Las naciones de la América Hispánica habían formado parte del imperio español de un modo más distante y fantasmal. Los monarcas españoles no tuvieron jamás la curiosidad de venir a ver qué tierra era ésta que les enviaba sus ríos de oro, que financiaba sus guerras interminables, que les daba la vanidosa certeza de ser el primer imperio planetario. Esa condición fantasmal flotaba sobre un mundo escondido, y después de la Independencia todos estábamos obligados a dejar emerger nuestro rostro, borrado por las taras coloniales, por ese fenómeno que Germán Arciniegas descifró diciendo que aquí no se había producido un *descubrimiento* sino un *cubrimiento* de América.

Es un valioso ejemplo de carácter que México, afirmándose en la cultura indígena, haya rechazado con energía la dominación francesa y la imposición de un emperador europeo, pero que después de fusilar al usurpador y de expulsar a los invasores, haya recibido con entusiasmo, de un modo libre y voluntario, el influjo de la cultura francesa.

Lo que decía desde su silla al galope Benito Juárez es que podíamos entrar en diálogo con las ideas de Francia, con sus instituciones, sólo si se nos respetaba como sociedades distintas, si Francia no traicionaba sus principios predicando la república en casa propia y exportando la monarquía a casa ajena.

Una vez dueño de sí, México se había abierto al mundo. Manuel Gutiérrez Nájera recibía y asimilaba la música de Verlaine, las gracias y las travesuras de su estilo:

Mi duquesita, la que me adora,
no tiene humos de gran señora:
es la griseta de Paul de Kock.
No baila "Boston", y desconoce
de las carreras el alto goce
y los placeres del five o'clock.

No tiene alhajas mi duquesita,
pero es tan guapa, y es tan bonita
y tiene un cuerpo tan "v'lan", tan "pschutt";
de tal manera trasciende a Francia,
que no la igualan en elegancia
ni las clientas de Heléne Kossut.

Si alguien la alcanza, si la requiebra,
ella, ligera como una cebra,
sigue camino del almacén;
pero ¡ay del tuno si alarga el brazo!,
¡nadie lo salva del sombrillazo
que le descarga sobre la sien!

Toco; se viste; me abre; almorzamos;
con apetito los dos tomamos
un par de huevos y un buen beefsteak,
media botella de rico vino,
y en coche, juntos, vamos camino
del pintoresco Chapultepec.

Pero no era sólo Gutiérrez Nájera: la cultura popular mexicana supo mezclar sus rasgos locales con la influencia europea, y es significativo que las orquestas populares siguieran llamándose mariachis, como se las llamaba primero en los *mariages*, en las bodas, en tiempos de la ocupación francesa.

México sabía dialogar con el mundo. Allí comenzó la labor admirable de Alfonso Reyes, quien reflexionó sobre las afinidades profundas entre el mundo mexicano y la tradición grecolatina, y tradujo a Homero "de cara a los volcanes". Él, sin saberlo, preparó a su cultura para Juan Rulfo, para ese poderoso descenso al Hades que es el viaje de Juan Preciado al inframundo de Comala.

También bajo el influjo de la Revolución mexicana, participando en la aventura de las vanguardias pictóricas europeas de los años veinte, Diego Rivera comprendió que ante la búsqueda de nuevos paradigmas y de cánones estéticos originales, bajo esa sed de savias distintas que sacudía a los dadaístas y los surrealistas, él tenía un suelo riquísimo del cual nutrirse: el mundo indígena sobre el que reposaba la cultura mexicana y que acababa de afirmarse con los truenos de la revolución.

Por eso, cuando se propuso pintar el espíritu y la dignidad de su tierra, Rivera pudo renunciar al deber de fingir que éramos Grecia, y se animó a pintar los rostros de México, su colorido, la historia turbulenta de su pueblo, las cabalgatas de los guerrilleros, la pasión de las soldaderas, el taconeo del jarabe y el hormigueo de la Suave Patria alrededor de la festiva Muerte emplumada. Toda una generación de artistas a su alrededor extraía de las raíces naturales e históricas de México un lenguaje nuevo de colores y formas, un tesoro de sueños y de símbolos.

Se diría que la Santa Muerte es apenas un puñado de azúcar negra sobre el mosaico de colores del mestizaje, pero es algo más hondo: es un homenaje al misterio de lo distinto en el centro del cuadro, es permitir que todo lo que llegó de lejos dance y festeje alrededor del secreto profundo del lugar.

Más asombroso es que miren con horror un esqueleto festivo hecho en almíbar de colores los que veneran como corazón de la historia el cadáver tumefacto de un hombre bondadoso suspendido en el leño del martirio.

¿Cómo no entender que el mundo indígena tenía un papel fundamental que cumplir en la construcción de las repúblicas? No era apenas el sistema de sus mitos arcaicos, la larga familiaridad con un mundo y su sentido de pertenencia: era la posibilidad de dialogar con la modernidad desde una perspectiva precisa.

La generación literaria de fines del siglo XIX en la América Hispánica había sido liderada por un hombre de ascendencia indígena: Rubén Darío. En él se había demostrado plenamente que el mundo americano aceptaba la lengua castellana, una lengua que ya había alcanzado dimensión continental, como uno de sus principales instrumentos de expresión, un instrumento valioso para acceder a la modernidad, en el vuelo de una música nueva.

Y muy siglo diez y ocho y muy antiguo,
y muy moderno; audaz, cosmopolita;
con Hugo fuerte y con Verlaine ambiguo,
y una sed de ilusiones infinita.

Hasta en lo que parece ornamental, ese espíritu se revelaba en su singularidad:

Era un aire suave de pausados giros,
el hada Harmonía ritmaba sus vuelos,
e iban frases vagas y tenues suspiros
entre los sollozos de los violoncelos.

¿Cómo no entender que en España no se podía hablar así en español? ¿Que sólo el silencio profundo del indio sabía de esa suavidad y de esas pausas? ¿Que frente al reino imperativo e impaciente del color estábamos en la región de los matices? ¿Que frente a la tiranía en blanco y negro de las culturas fanáticas sólo nos salvaría el mestizaje: la sutileza de lo que es una cosa y su contraria, de lo que no se pierde en cuentos de pureza?

Los escritores de todo el continente se llamaron modernistas porque querían respirar a un mismo tiempo con el resto del planeta. El alma de nuestros pueblos había comprendido que era posible escuchar la voz de la tierra y al mismo tiempo ser contemporáneos; no estábamos soñando con regresar a ninguna arcadia indígena sino con defender nuestros rasgos indios y mestizos, nuestros sueños y nuestra dignidad, al tiempo que ingresábamos en los debates del presente y desplegábamos reflexiones propias frente a los desafíos del futuro.

También los descendientes de los esclavos estaban impacientes por asumir esa modernidad, por demostrar que en ella su memoria ancestral, su vitalidad, su sensualidad, su capacidad afectiva, su alegría, tenían mucho que aportar a la construcción de un mundo más capaz de convivir y más feliz. Ahora podemos ver cuán importante fue en el siglo XX el aporte de los hijos de África, y de un modo muy destacado en nuestro continente, para la transformación de los lenguajes culturales de la época.

El mundo mestizo había tomado la iniciativa en el ámbito de la lengua y de la creación literaria, el mundo negro y mulato estaba tomando la iniciativa en el campo de la creación musical, y las primeras décadas del siglo XX vieron nacer los boleros cubanos y puertorriqueños, los sones, las cumbias, los merengues. Era el mismo tiempo en que el *jazz* florecía en Norteamérica, y hasta el tango, la música que acompasó el crecimiento de la cosmópolis del sur, de Buenos Aires, recibía por igual la influencia de las habaneras y de los ritmos negros del Caribe.

Así que Gaitán no se equivocaba al reclamar entre nosotros un lugar en la democracia y en la historia para el mundo indígena, para el mestizaje, para los negros y los mulatos, que en Colombia seguían siendo los condenados de la tierra. Los políticos que lo escuchaban creyeron que Gaitán hablaba solamente de que había que darles empleo, uniformes y acaso subsidios, y ni siquiera eso les agradó. Pero lo que el pensamiento de la modernidad reclamaba no era darles algo: era exigir que asumieran su puesto en la sociedad, su lugar en la historia. El pueblo crecía, el pueblo iba tomando forma en la política, el pueblo descubría su sentido y su poder.

En México, el Partido Revolucionario Institucional (PRI), que gobernó al país durante décadas después de la revolución, llegó a ser denominado por alguien "la dictadura perfecta", porque manteniendo todas las apariencias de la democracia

se configuró en realidad como un régimen de partido único que llegó a tener incluso carácter monárquico, ya que el
gobernante en ejercicio designaba al final a su sucesor.
El acuerdo de liberales y conservadores en Colombia tendía
a configurarse de la misma manera, pero con una diferencia
central: una misma dirigencia organizada en dos partidos para
relevarse en el poder, manteniendo el mismo orden mental
y con mayor apariencia de pluralismo.

Pero el PRI había sido consecuencia de un proceso revolucionario que cambió muchas cosas en el orden de la
sociedad mexicana, que procuró darle un lugar al ciudadano
en la república y un lugar a México en el mundo, en tanto que
el bipartidismo colombiano se ponía de acuerdo sólo en un
modelo de distribución del poder, excluyendo a su pueblo,
negando lo propio y asumiendo ante el mundo el tono y el
discurso de una sociedad sin carácter, entregada a la imitación
y carente de todo orgullo local.

Lo que uno no entiende es que esos poderes hayan mirado con tanto rencor toda expresión de inconformidad, la
hayan desautorizado con tanta severidad y la hayan perseguido con tanta saña, cuando su modelo mental no fue capaz
de construir un país del que siquiera ellos pudieran sentirse
orgullosos.

En México, aunque muchas deudas con el pueblo quedaron pendientes, surgió un empresariado comprometido con
el país, se nacionalizaron los recursos naturales, se asumió
el proyecto de una sociedad segura de sí misma, responsa-
bilizada de su memoria y afirmada en sus particularidades.
En Colombia el gran empresariado, que en una época llegó

a tener cierto empuje y cierto compromiso, fue perdiendo gradualmente todo sentido de pertenencia: a partir de cierto momento sólo le importó su presencia en el mercado mundial, y aunque para la construcción de sus empresas había contado siempre con el favor del Estado, del capital social, cada vez que pudo decidió enajenarlas sin la menor consideración patriótica.

No es necesario recordar de qué manera, cuando el país se hundía en la barbarie como fruto de las negligencias de esta dirigencia irresponsable, los que habrían podido salvar al pueblo humilde de la barbarie y no lo hicieron, ya sólo pensaron en salvar sus capitales a toda costa, y grandes empresas nacionales que eran orgullo del país entero, de las que se sentían orgullosas incluso las gentes humildes, terminaron entregadas a los grandes pulpos del mercado mundial.

Pero nada se sacrificó más fácilmente que el trabajo: millares de obreros que habían entregado su vida a esas compañías fueron despedidos sin explicaciones, y esa fue la manera de darles la bienvenida a un mundo y a una época en que los seres humanos son considerados la parte más estorbosa y más prescindible de las empresas a las que les dieron su energía y su vida.

En la industria, en la agricultura, en el sector editorial, en las comunicaciones, en el cine, lo que hicieron México, Argentina y Brasil como frentes de una cultura continental fue decisivo para la América Latina. Y en ninguno de esos campos la dirigencia colombiana fue menos digna de su ejemplo que en el aspecto cultural: la literatura se hacía a su pesar, el arte que brotaba de la comunidad le resultaba tan invisible como la propia naturaleza, y la costumbre de menospreciar la imaginación social impidió por décadas que se estimulara el tesoro de la creatividad de un pueblo.

Cuando en 1950 fue elegido para la presidencia Laureano Gómez, ya la violencia estaba desencadenada sobre el territorio. El gran fanático había llegado al poder a edad avanzada y con mala salud, y eso le impidió configurar plenamente su dictadura fundamentalista. Pero hasta el gobernante sectario advertía que el modelo mental que procuraba imponer en Colombia era inclemente y perverso.

En 1944, al expresar su júbilo por la liberación de París y por la expulsión de los nazis, Jorge Luis Borges afirmó que el nazismo, como el infierno, es inhabitable: "Los hombres sólo pueden morir por él, mentir por él, matar y ensangrentar por él. Nadie, en la soledad central de su yo, puede anhelar que triunfe". El poeta se arriesgó a afirmar que Hitler quería ser derrotado porque no podía ignorar que era un monstruo.

Ello me hace recordar el relato que nos hizo cierto día Abel Naranjo Villegas de su encuentro con el presidente Laureano Gómez una noche, a la salida del teatro Colón en Bogotá. Gómez le preguntó a su copartidario cómo estaban las cosas en la calle. Naranjo le contestó: "Muy mal, señor presidente". Y el gobernante tenebroso le dijo: "Me imagino cómo será eso. La verdad es que si yo no estuviera aquí, estaría en la oposición".

Pronto Laureano Gómez dejó el poder en manos de Roberto Urdaneta, quien había sido ministro de Gobierno, o sea, responsable de la policía en la administración de Ospina Pérez. Gómez, que lo había nombrado ministro de Guerra, acababa de cambiarlo a la cartera de Gobierno, y por ello fue designado para gobernar al país en la enfermedad del presidente. Ésta duró año y medio, pero el mismo día en que Laureano decidió retomar el poder, el 13 de junio de 1953, los jefes de los dos partidos enfrentados, que veían en el personalismo extremo de Gómez una amenaza para su propia existencia, prefirieron recurrir al ejército para que los liberara del gran peligro.

Y fue así como se produjo la única interrupción en todo el siglo del poder de la élite en Colombia. Si bien no se puede decir que el general Gustavo Rojas Pinilla fuera un líder transformador, capaz de traerle al país la modernidad, llegaba al poder como recurso contra la violencia y tuvo durante cierto tiempo un margen de iniciativa. Rojas, un hombre del pueblo y de la provincia, se vio de pronto en la posibilidad de tomar decisiones por sí mismo.

Algunas de ellas fueron benéficas para el pueblo y muchas crecientemente peligrosas para el establecimiento, pero al final se abrió camino la arbitrariedad del que no tiene quién lo fiscalice, así como una mezcla de arrogancia militar, irresponsabilidad política y corrupción administrativa que hicieron arrepentir a la élite del apoyo inicial que le habían prestado, lo que hizo que no llamaran inicialmente a su cuartelazo un "golpe militar" sino "un golpe de opinión".

Pero, significativamente, bastó que por un tiempo llegara al poder en Colombia un hombre que no pertenecía a la vieja casta dirigente, para que se abrieran camino grandes iniciativas modernizadoras. En sólo cuatro años, entre 1953 y 1957, Rojas Pinilla emprendió importantes obras públicas, construyó autopistas y aeropuertos, emprendió campañas que todavía se recuerdan en beneficio de los pobres, electrificó algunas regiones y construyó acueductos en un país donde todavía hoy la mayor parte de los municipios carece de agua potable, concedió a las mujeres la ciudadanía y el derecho al voto, y hasta trajo a Colombia la televisión, que en manos de la élite inmovilista habría tardado veinte años más en llegar.

Su propósito inicial era despolitizar a la policía y acabar con la Violencia: tener a los dos partidos sectarios fuera del poder acaso ayudaría a aclimatar la convivencia. Una de sus iniciativas más audaces fue ofrecer una amnistía a los guerrilleros que andaban dispersos por los campos. Esa invitación a desmovilizarse fue anunciada inmediatamente, y fue entonces cuando dejaron las armas y se entregaron las guerrillas liberales del Llano, comandadas por los jefes Guadalupe Salcedo y Dúmar Aljure.

Guadalupe, una leyenda en los Llanos Orientales, llevaba el cuatro al hombro. Corren todavía por el viento los joropos y los corridos que hizo en su honor el pueblo. Fue la encarnación del héroe popular, defensor de perseguidos y justiciero, a la manera de los legendarios líderes mexicanos, pero en un entorno hostil a la glorificación de los héroes populares terminó convertido en una leyenda marginal, a la que apenas reivindicó por momentos el arte popular, y la obra teatral más famosa de la segunda mitad del siglo XX: *Guadalupe años sin cuenta*, del teatro La Candelaria.

Las guerrillas del Llano nacieron con un propósito preciso: defender a los liberales de la chulavita, la policía armada por el conservatismo contra el pueblo liberal. Hasta los viejos campesinos conservadores han llegado a la conclusión de que el momento más determinante de la Violencia fue aquel en que Laureano Gómez anunció al país que había que "separar el oro de la escoria", proponiendo con ello la segregación y acaso el exterminio de los liberales.

La buena gente del campo, que había fraternizado por mucho tiempo en el trabajo y en la pobreza, amaneció de pronto dividida en oro y escoria; la retórica del lenguaje desde el poder trabajó en las conciencias, fortaleciendo viejas rencillas del siglo XIX y de la guerra de los Mil Días, y el pregón de los púlpitos convocando a no acabar sólo con el mal sino con su semilla infiltró su veneno en la sangre.

Los perseguidos liberales del comienzo se habían vuelto gaitanistas. Organizadas las guerrillas rebeldes, muy pronto asumieron el propósito de ir más allá de la resistencia a la dictadura fanática de Laureano Gómez: quisieron encarnar los sueños aplazados de la Revolución en marcha y llevar el gaitanismo al poder.

Los jefes liberales, mientras les convino, apoyaron esa resistencia, pero, como de costumbre, oscilaban entre su respaldo al pueblo perseguido y su viejo compadrazgo con

el poder, y en cuanto vieron que su amistad con los gobernantes conservadores peligraba, no sólo abandonaron a su
suerte al valiente pueblo que resistía, sino que condenaron
abiertamente sus acciones.

Había una guerra, pero, como siempre, la dirigencia
colombiana aceptaba como legítima toda violencia que se
ejerciera desde el poder y condenaba como criminal toda
violencia que se opusiera a las autoridades, incluso la de legítima defensa, aunque la actuación de las autoridades fuera
evidentemente injusta.

Guadalupe Salcedo era un guerrero vigoroso y leal con
sus hombres, hábil estratega y memorable ser humano, firme
en sus convicciones e implacable en el combate, que cuando
fue llamado a la paz y a la concordia y se convenció de que la
promesa oficial era sincera, actuó con la misma decisión y
la misma lealtad: persuadió a sus cinco mil guerrilleros de que
depusieran las armas y confió en las promesas del Estado.

Todavía lo espera, como a tantos guerreros leales a los
pactos, única garantía de la convivencia, la reivindicación de
la historia y del arte, pero Guadalupe se convirtió también
en el símbolo del insurrecto amnistiado y traicionado por
el poder. Rojas Pinilla, que había cumplido su palabra, fue
depuesto el 10 de mayo de 1957, y bastó que el bipartidismo
retomara el poder bajo la figura de una junta militar de transición, para que recomenzara el viejo estilo nacional. Menos
de un mes después, el 6 de junio de 1957, una noche en el sur
de Bogotá, Guadalupe Salcedo fue cercado por la policía, y
aunque salió con los brazos en alto y diciendo quién era, fue
asesinado con sus compañeros.

Tenía un espíritu muy distinto del de los salvajes bandoleros liberales de otras regiones, que a menudo llenos de resentimiento y cada vez más capaces de todo, llenaron por entonces a Colombia de leyendas de sangre y de horror.

El que Guadalupe Salcedo y el luchador de origen sirio-libanés Dúmar Aljure hayan conservado su nombre en la leyenda habla suficientemente de su dignidad de guerreros defensores de una causa, y eso mismo podemos decir de Efraín González, otro mítico rebelde cuya última batalla fue transmitida al país entero a través de los medios de comunicación de la época. Sitiado en una casa del sur de Bogotá y luchando solo contra todo un ejército, pareció confirmar la fábula de Borges de que al destino le agradan las repeticiones: porque su suerte final repetía la suerte del zipa Tisquesusa en los tiempos de la Conquista. Cercado por la tropa, se defendió como bravo hasta el anochecer, y cuando ya estaba a punto de escapar de sus enemigos y deslizarse hacia las sombras, un soldado casual lo vio pasar y casi por accidente le dio muerte.

Ellos conservaron sus nombres, en cambio en muchos otros bandoleros lo que se conservó fue un alias, lo que habían llegado a representar para el imaginario colectivo: el resentimiento en Desquite, quien dedicó la vida entera a vengar a su familia asesinada; el ingenio militar en Chispas; la festiva ferocidad en Mariachi; la malignidad en el Capitán Veneno; la crueldad sin entrañas en Sangrenegra, el más temido de los monstruos de entonces, entre los innumerables bandoleros que por aquellos tiempos llenaron las pesadillas de Colombia.

Y fue en la zona cafetera, que había construido en el siglo XIX la más fuerte economía campesina y que sostuvo al país durante tres cuartos de siglo, donde se produjo con mayor fuerza el carnaval sangriento de la Violencia. Debajo del río de las discordias políticas y de la estrategia de utilizar la guerra como una tabla de salvación para el bipartidismo, corría un río de codicias y ambiciones que provocó el éxodo masivo de las familias de los campos hacia las ciudades.

Veinte años de Violencia cambiaron el cuadro de la propiedad campesina, pero en un país necesitado por décadas de una reforma agraria justa, que evitara la concentración de la propiedad y combatiera la exclusión social, una vez más la violencia se hizo para agudizar la injusticia, para obligar a las muchedumbres rurales a incorporarse a otro orden social.

El poder predicaba el discurso de la modernización que iniciaron con timidez los conservadores y que pregonaron como propaganda los liberales: parecía que las élites iban a convertir a Colombia en un país de ciudades dinamizadas por la industria y por el empleo.

Pero si en 1945, cuando éramos diez millones de habitantes, 8.000 industrias les daban empleo a 150.000 personas; en 1970, cuando éramos ya veinte millones, 12.300 industrias no les daban empleo a más de 300.000. En ese mismo período, Colombia había dejado de ser un país rural, y las ciudades habían crecido de un modo asombroso, pero lo que las hizo crecer no fue la atracción urbana, el desarrollo de la ciudad, sino la expulsión de los campos en oleadas de barbarie y de horror.

En 1953 éramos doce millones, y desde entonces cada veinte años la población creció en doce millones de habitantes: 24 millones en 1973, 36 millones en 1993, 48 millones en 2013. Pero la industria no volvió a crecer después de 1970. Ya veremos que con el llamado Frente Nacional se cerró el camino para los pioneros industriales, la gran industria se aplicó a la tarea codiciosa, típica de un régimen antidemocrático, de acumular poder y apropiarse de la pequeña industria, y a partir de 1990 los políticos herederos del bipartidismo dedicaron más bien sus esfuerzos a arruinar el campo y a acabar con la industria nacional, seducidos o comprados por la política de incorporar al país al mercado mundial sin protección y sin escrúpulos.

Detrás de la Violencia, además de la lucha contra el gaitanismo y del esfuerzo por mantener, así fuera de un modo infernal, la supremacía de los partidos, estaban la doctrina del crecimiento de las ciudades, el señuelo de la industrialización y la fábula de que las ciudades absorberían como obreros a la masa de los campesinos expulsados.

La misión Currie, contratada por el bipartidismo, hasta recomendó que se estimulara el éxodo rural, con el argumento de que la industrialización resolvería ese asunto. En vano se esforzó Mario Arrubla por demostrar que nuestra precaria burguesía no tenía voluntad de industrialización, que el crecimiento de las ciudades, desordenado y dramático, sólo traería pobreza, marginalidad y nuevas formas de violencia. Nadie lo escuchó, quizás porque es una ley de la naturaleza que la plutocracia colombiana sólo se escuche a sí misma, o quizás porque el negocio estaba precisamente en no escuchar esas advertencias.

Unos cuantos señores de industria procuraron quedarse con el grueso de la producción cafetera, que era la principal riqueza nacional, y los campesinos que hicieron la prosperidad del país perdieron en ese lance la tranquilidad, el minifundio y la vida. Es triste comprobar que el poder envanecido de su democracia no movió un dedo para proteger al pequeño campesino sacrificado, y tampoco hizo el menor esfuerzo por darle la bienvenida en la ciudad, a donde llegaba arrastrando relatos dolorosos, llevando en la memoria la colcha de retazos de su mundo perdido.

Allí se produjo, por penúltima vez, no la urbanización de los campesinos sino la ruralización de las ciudades. El nombre despectivo de "montañeros" recibió en la ciudad a los campesinos que huían del infierno, y nadie les dio un lugar en la leyenda urbana, un reconocimiento de su valor en la construcción del país, ni un bálsamo para sus heridas. Ellos ya habían encontrado en la música campesina de la cordillera de los Andes, en los pasillos y las zambas, el tono adecuado a su desdicha y su destierro, y en la saga de los tangos del sur hallaron el treno borrascoso de su incorporación al mundo urbano.

Es un fenómeno típico de nuestro curioso destino latino-americano: canciones que expresaban la queja de los compadritos argentinos, viviendo al margen de la ley, confinados en el arrabal, nutridos por el rencor y acodados en los lupanares, recogían bien el sentimiento de orfandad y de exclusión de los campesinos colombianos, acorralados por el odio en su tierra de origen, expulsados por el crimen y arrojados a la tristeza de los suburbios.

Es un fenómeno muy singular de los vasos que comunican las culturas, que obras que surgen en un mundo sólo liberen en otro toda su carga significante. El vals *Cuando miran tus ojos*, de Enrique Cadícamo y José María Aguilar, que grabó Charlo en Buenos Aires en el año 34, nunca tuvo para los argentinos la resonancia misteriosa y trágica que liberó en el Tolima colombiano, entre las ráfagas de la violencia de los años cincuenta, en la voz de Óscar Agudelo.

Pero por qué asombrarse de que estas cosas ocurran en un ejemplo tan discreto, si sabemos que la obra de Edgar Allan Poe nunca tuvo en los Estados Unidos, donde surgió, la resonancia espiritual y la capacidad de influir sobre el mundo que ganó en Francia cuando fue traducida por Baudelaire; si sabemos que la obra de Verlaine, que en Francia era apenas el canto de un ruiseñor anómalo, fue el instrumento de libertad, de sensualidad y de armonía con el que los modernistas de finales del siglo XIX reinventaron en América Latina la lengua castellana.

Un tema familiar se abrió camino en la Colombia desgarrada del medio siglo: la nostalgia de la casa perdida. Nada se oía tanto en el país como *Las acacias*, una canción en la que los árboles le cuentan al desterrado que vuelve a su casa de infancia la historia melancólica de los despojos y las violencias. Dicen que la letra la escribió un español: tal vez así se enlazaba en secreto la desdicha de los colombianos expulsados del campo con la desolación de los pocos inmigrantes, republicanos desterrados por la dictadura, judíos alemanes que huían del nazismo, siriolibaneses que habían escapado de los turcos y a los que aquí llamaba turcos todo el mundo, esos inmigrantes que se habían regado por el continente americano y que no volvieron a ver nunca su tierra natal.

Ese tema lo había anunciado el poeta mayor del medio siglo en Colombia, Aurelio Arturo: su poema "Morada al sur", publicado en 1945, es el canto sublime de la infancia perdida; el reino mágico de esa niñez en la vecindad de una naturaleza que en la nostalgia cobra dimensiones sobrenaturales:

En las noches mestizas que subían de la hierba,
jóvenes caballos, sombras curvas, brillantes,
estremecían la tierra con su casco de bronce.
Negras estrellas sonreían en la sombra con dientes de oro.
Después, de entre grandes hojas, salía lento el mundo.
La ancha tierra siempre cubierta con pieles de soles.
(Reyes habían ardido, reinas blancas, blandas,
sepultadas dentro de árboles gemían aún en la espesura).

Antes de la gran tragedia colectiva, Aurelio Arturo no sólo logró captar el sabor mágico de lo perdido, sino la música conmovedora de ese mundo entrañable:

No todo era rudeza, un áureo hilo de ensueño
se enredaba a la pulpa de mis encantamientos.

Y si al norte el viejo bosque tiene un tic-tac profundo,
al sur el curvo viento trae franjas de aroma.

Allí se cifra la vida turbulenta de las haciendas, la energía de unos hombres que van "en ligeras canoas por los ríos salvajes", pero también el pavor de ese mundo sencillo espantado por la acechanza de la violencia y por las advertencias de la historia:

Noche, sombra hasta el fin, entre las secas
ramas, entre follajes, nidos rotos —entre años—,
rebrillaban las lunas de cáscara de huevo,
las grandes lunas llenas de silencio y de espanto.

Lo más significativo es que ese poema haya sido escrito en la ciudad. "Morada al sur", el canto memorable de la casa perdida, cuenta algo que está escrito en el alma de todo colombiano, la Casa Grande, el Paraíso; y en 2013 pudimos comprobarlo, cuando miles de jóvenes integrados desde siempre al mundo urbano, vieron en las marchas de los últimos campesinos el símbolo de ese pasado del que llegaron sus padres y sus abuelos, y vestidos con ruanas salieron a expresar su solidaridad con el mundo agrario, calumniado y amenazado por las deformaciones de la modernidad.

A lo mejor todo esto, como el propio poema de Arturo, no es sólo la nostalgia de un mundo arraigado en la naturaleza, sino el presentimiento de otros tiempos, porque si algo se anuncia en los signos de la época es la necesidad imperiosa de las recientes generaciones de celebrar un pacto nuevo con la naturaleza, con la tierra de los orígenes y con los ríos de la memoria.

En 1958 los jefes de los partidos Liberal y Conservador, que habían profanado y ensangrentado a Colombia, firmaron la paz. No lo hicieron para pedir perdón al país por los trescientos mil muertos de la Violencia y por todas las tragedias colaterales, sino para imponerle un curioso contrato: durante dieciséis años los mismos partidos que habían patrocinado el horror y la inhumanidad desde el Estado y fuera de él, que habían predicado la infamia y educado al país en la barbarie, se repartirían el poder sin permitir la expresión de ninguna otra fuerza política.

La nación estaba tan horrorizada, tan intimidada por la propaganda de ambos partidos y por la eficacia de sus métodos de exterminio, que todo el mundo aceptó el chantaje. No aceptar el contubernio de las dos maquinarias equivalía a sufrir la amenaza de una prolongación de la violencia. Los grandes jefes Alberto Lleras y Laureano Gómez se abrazaron, el país quedó en manos del bipartidismo por dieciséis años, y allí comenzó la ilusión de una paz edificada sobre dos décadas de violencia, sobre silenciados ríos de sangre, sobre tenebrosos cuadros de inhumanidad. Colombia se esforzó por olvidar que el poder de la alianza bipartidista nacía del odio irresponsable de los partidos y sólo buscaba perpetuar el mando de la vieja dirigencia y la persistencia de sus intereses.

El llamado Frente Nacional no tenía como propósito salvar al país maltratado sino garantizar la continuidad en el poder de las castas que habían dominado a Colombia durante más de cien años, y que la seguirían dominando durante el resto del siglo. Hoy podemos preguntarnos por qué los que no eran responsables de la violencia fueron precisamente los que quedaron excluidos del acuerdo, por qué los críticos del modelo imperante eran los únicos que no tenían derecho a hablar, y fueron los más perseguidos por los gobiernos del Frente Nacional. Pero sólo podemos preguntarlo hoy, porque en aquellos tiempos la mera pregunta convertía a los críticos en enemigos del orden social.

Algo de la ferocidad de la guerra civil española tuvo esta violencia colombiana. Esa sensación que tiene un partido de que perder el poder a manos de otro equivale a perder su lugar en el mundo, y que lo lleva a todos los extremos. Pero en la guerra española está claro que combatían posiciones opuestas sobre todos los asuntos públicos, y dado que en Colombia los dos partidos no tenían tantas diferencias de principios, se impone concluir que en realidad se luchaba contra otra cosa: posiblemente contra la conformación de una alternativa distinta, que pusiera en peligro el poder tradicional.

Uno diría que si la sombra del gaitanismo estaba atrás, la violencia también configuró una suerte de contrarrevolución preventiva, una advertencia, y que por eso fueron tan importantes el horror y la atrocidad, la profanación de la condición humana, inventar el infierno en la tierra para tener con qué amenazar para siempre a los rebeldes. Pero lo que se conjuraba con ello no era una realidad, sino un propósito, magnificado y deformado hasta el delirio por los dueños del poder, y los ejecutores de ambos bandos no tenían la capacidad de asumir como suya esa estrategia de debelar un proyecto político apenas esbozado.

Lo que verdaderamente se produjo fue algo menos metódico pero quizás más culpable: el modo como una dirigencia irresponsable no sólo se aprovechó de la credulidad de las gentes humildes sino que, después de haber mantenido a incontables seres humanos privados de reconocimiento y de dignidad, privados de educación y de oportunidades, después de dejarlos crecer a su suerte, se permitió sembrar en ellos el fanatismo, y abandonar a sus más bajos instintos a una sociedad que habría sido su deber formar y orientar.

Allí aprendimos hasta dónde puede llegar una comunidad desamparada en términos de civilización, crecida en la exclusión y en el ningún aprecio de sí misma, cuando es autorizada por los púlpitos y por los líderes a todos los excesos. Aquellos míseros ejecutores del horror no iban a ser los vencedores, eran también las víctimas. Habían aprendido a despreciarse, nunca habían sido compadecidos y no sabían compadecer. Para mí, nada resuena tanto sobre el holocausto de aquellos años que los terribles versos de Barba Jacob:

Desprecio de mí mismo, estoy llagado,
desprecio de mí mismo, has gangrenado,
mi corazón.

Las guerras civiles suelen declararse oficialmente: esta guerra como tal no se declaró nunca. Las guerras civiles suelen tener un ganador y un perdedor: de la Violencia colombiana podemos decir, viendo los resultados, que los dueños del poder y los jefes de los partidos ganaron pero el país perdió. Aquella época vio una confirmación abrumadora de la tradición antipopular del régimen colombiano: a la hora de los sufrimientos y las derrotas, era el pueblo el que tenía que ponerlo todo; a la hora de los triunfos, la casta dominante recogía las ganancias.

¿Hicieron algún esfuerzo por mitigar los sufrimientos del pueblo? ¿Mostraron alguna vez arrepentimiento o fueron conscientes de que era su manera de gobernar el país lo que lo había educado en el odio, en la desconfianza, en la discriminación de los humildes y en el desamparo de los débiles? Al contrario: en cuanto empezó la paz que ellos mismos habían decretado, recomenzó la persecución contra todo lo distinto: ni los indígenas fueron reivindicados, ni los nietos de los esclavos fueron integrados a un proyecto nacional, ni las víctimas de la violencia fueron objeto de algún proyecto generoso, y en cambio las iniciativas disidentes, como la de la Alianza Nacional Popular (Anapo), de Gustavo Rojas Pinilla, o como el Frente Unido, de Camilo Torres, o como las luchas estudiantiles por la reforma educativa, fueron hostilizadas, perseguidas o traicionadas por la elegante dictadura de los dos partidos. El sueño de Colombia volvía a aplazarse. El pueblo volvía a quedar postergado. La segunda república quedaba para el siglo siguiente.

Desde los tiempos de la Conquista, aquí la literatura supo seguir día tras día los acontecimientos históricos. Juan de Castellanos nos había dejado el poema más extenso de la lengua, recogiendo en detalle los hechos de aquellas campañas sangrientas en la crónica de Indias más vasta por su escenario, más original por su tema y más ambiciosa por sus propósitos estéticos, que no quería sólo contar sino cantar el hecho mayor de la historia: el modo como por fin en el siglo XVI las dos mitades del mundo, las dos caras de lo humano, se encontraron y no se reconocieron.

Poco después, Hernando Domínguez Camargo intentó celebrar el triunfo de la cristiandad sobre el animismo, el triunfo de la lengua española sobre las lenguas nativas y el triunfo de los símbolos europeos sobre la naturaleza americana, pero el resultado fue el triunfo de la desmesura sobre el canon, de la profusión sobre el sentido y de la imaginación delirante sobre la versión simplificadora del mundo que imponían los vencedores.

La lengua se esforzaba por parecerse al mundo al que había llegado, y la poesía convertía el idioma en taller de experimentos. Álvarez de Velasco y Zorrilla abundó en laberintos poéticos, retruécanos místicos y emblemas traviesos; los poetas descubrían que la correspondencia imperfecta de la lengua con la realidad les daba unos espacios de libertad mental que tal vez no tenían otros. Ya vendría el siglo XX a beneficiarse de esa imperfección.

Sólo cuando a fines del XIX la lengua alcanzó su modernidad, recomenzó su esfuerzo por ser americana, por interrogar el sustrato escondido y el mundo complejo al que el discurso hacía invisible. Por eso hubo una búsqueda de la verdad local en las obras de Carrasquilla y de Gutiérrez González, en las estampas de Luis Carlos López y hasta en los sonetos parnasianos de Rivera, que intentaban encerrar en marcos clásicos los morichales del llano, el tropel de los potros, la furia de los ríos, el modo como el diminuto arrullo de un pájaro "acongoja la selva con su blanda quejumbre", le contagia su desolación a todo el espacio.

El continente entero seguía buscando las palabras del mundo americano, en los poemas fantasmales de César Vallejo, en el ascenso al mundo indígena de Arguedas, en la vasta exploración geográfica de *Los sertones* de Euclides da Cunha, en la naturaleza indómita "envuelta en piel de mujer" de *Doña Bárbara* de Rómulo Gallegos, en tantas novelas de la Revolución mexicana que prepararon el poderoso *Pedro Páramo* de Juan Rulfo, en el paso de la poesía gauchesca y de su "vértigo horizontal" a la lírica de los conventillos de Carriego y al cancionero de Buenos Aires, en el modo como la experiencia surrealista y el insomnio en el Lejano Oriente afinaron en Neruda una nueva capacidad de nombrar los mares de Chile y el mundo americano.

También Colombia buscaba nombrarse en los poemas, también aquí la prosa perseguía la historia. Numerosos novelistas intentaron atrapar la clave de la violencia: Osorio Lizarazo, persiguiendo la verdad tumultuosa de Bogotá alumbrada por los incendios; Tulio Bayer, rastreando los conflictos humanos que acompañaban la construcción de la carretera al Mar; Daniel Caicedo, poniendo al *Viento seco* a narrar los días atroces y la impiedad de los crímenes; el propio García Márquez en *La mala hora*, haciéndonos vivir el clima de zozobra de los pueblos donde crece la discordia; Gustavo Álvarez Gardeazábal, retratando su pueblo del Valle bajo las alas de la muerte.

Al lado de Aurelio Arturo, y en plena juventud, el otro poeta mayor era Álvaro Mutis. Después de vivir sus primeros años en el período de entreguerras en Europa, Mutis fue deslumbrado en su niñez por los paisajes de la tierra caliente, por su finca a las orillas del río Coello en el Tolima, y ya no pudo apartar de su ser y de su memoria esos ríos desbordados, las casas asomadas a la inmensidad de los abismos de niebla, los hidroaviones brillantes descendiendo a los ríos inmensos, los trenes cruzando las gargantas de la cordillera, y el mundo de la zona cafetera que celebró para siempre en su "Nocturno":

> *La lluvia, sobre el cinc de los tejados,*
> *canta su presencia y me aleja del sueño,*
> *hasta dejarme en un crecer de las aguas sin sosiego,*
> *en la noche fresquísima que chorrea*
> *por entre la bóveda de los cafetos*
> *y escurre por el enfermo tronco de los balsos gigantes.*

Mutis tomó la naturaleza celebrada por Isaacs y por José Eustasio Rivera y la llenó de resonancias de la mitología, de la historia y de la leyenda, y también de los decorados de la modernidad. Conocía el mundo. Supo situar esos paisajes, que otros vieron sólo desde la perspectiva de la aldea, en un contexto más amplio y más nuevo; supo llenarlos de sentido humano, y muy posiblemente fue él quien le ayudó a encontrar a García Márquez el universo físico donde discurre la saga delirante de sus personajes, la perspectiva histórica por la cual la aldea de Macondo se convertiría en una imagen a escala de la dramática historia latinoamericana.

Toda gran literatura es fruto de un diálogo. Y la literatura que, a mediados del siglo XX, cambió a Colombia, de una aldea perdida en las montañas a un país sembrado convulsivamente en el corazón del mundo contemporáneo, fue fruto del diálogo persistente que mantuvieron desde los años cuarenta Álvaro Mutis y Gabriel García Márquez.

Porque lo que inicialmente fue un diálogo en los cafés de la muy literaria Bogotá de mediados de siglo, donde estaban Jorge y Alberto Zalamea, Hernando Téllez, León de Greiff, Aurelio Arturo y Jorge Gaitán Durán, pasó a ser en México un diálogo en el exilio: cada uno de los dos fue para el otro ese país que habían dejado lejos, el país que cada uno de ellos estaba obligado a reinventar en la nostalgia.

En todos los lenguajes del arte, Colombia trataba de descifrarse: después de las tormentas del medio siglo, después del trueno de Gaitán y de su trágico sacrificio, después del incendio de Bogotá y de las traiciones al pueblo, después del desangre y del odio, después del abrazo de los enemigos políticos y en vísperas de las grandes conmociones que serían resultado de todo aquello, Colombia no cesó de interrogarse y de buscar las claves de su enigma.

Pero en su primer momento, bastó que las élites de los partidos dejaran de predicar el odio para que la violencia se redujera a la persecución implacable de unas bandas de forajidos, la cacería de los monstruos. Sin embargo, ya era desalentador para un proyecto de civilización el modo como el ejército capturaba a los bandidos y ostentosamente exhibía su agonía en volquetas y furgonetas por las calles de los pueblos, para que la gente creyera que así se estaban pagando todas las culpas y corrigiendo todos los males.

Ya se sabe que los grupos paramilitares sólo pueden existir si el Estado les brinda su apoyo y su protección: en cuanto el conservatismo comprendió que tenía garantizado su acceso al poder, renunció a la violencia oficial; y una vez que los directorios liberales vieron a su vez asegurada la alternación, denunciaron y persiguieron a los guerrilleros que ellos mismos habían patrocinado.

La gente no pedía más que un poco de tranquilidad. Muchos campesinos prefirieron permanecer en las barriadas duras de la exclusión y de la pobreza, antes que volver a un campo que había quedado marcado por los estigmas de la sangre y del fuego. Los ríos habían arrastrado demasiados cadáveres, las aves de rapiña habían llenado demasiado el cielo con su tizne, había demasiadas casas fantasmas en las montañas, los cementerios habían crecido demasiado.

El viejo país de los bambucos y los pasillos, de las guabinas, los bundes y los torbellinos había muerto, y sólo las regiones afortunadas que no padecieron la Violencia, como los litorales del Caribe y del Pacífico, mantuvieron vivas las tradiciones, e incluso las hicieron florecer de un modo más intenso. Desde finales de los años cuarenta nada le había dado tanta alegría al país como esas cumbias de José Barros, esos porros de Campo Miranda, esos merengues y parrandas de Crescencio Salcedo, el hombre descalzo siempre "para sentir el contacto de la madre Tierra", que vivió en la pobreza material toda su vida y en la riqueza del espíritu, y que compuso esas canciones que siempre vuelven: *Yo no olvido el año viejo*, *La múcura*, *El hombre caimán*, o esa ráfaga inspirada que se llama *El cafetal*; y también los primeros paseos de Guillermo Buitrago, que volaron llenos de ingenuidad y de alegría sobre el país de la violencia, como un bálsamo sobre la tierra profanada, y que el país siguió oyendo y bailando año tras año porque eran el último vestigio de la perdida arcadia campesina.

De ellos nació la música vallenata, el cuenterío melodioso de los juglares de las llanuras a la sombra de la Sierra Nevada. Y en un país donde los desacuerdos entre los seres humanos había empezado a resolverlos sólo el machete, resulta un vestigio conmovedor de la dulzura de otra época oír ese paseo, *La gota fría*, que Carlos Vives echó a volar por el mundo, pero que ya conmovía a Colombia hace más de medio siglo, cuando en la voz de Buitrago nos contaba cómo eran las discordias ingenuas de las gentes de Urumita, que peleaban con música, y que cuando querían herirse no pasaban de decir:

Yo tengo un reca'o grosero
para Lorenzo Miguel:
él me trató de embustero,

y más embustero es él.
Me lleva él o me llevo yo
pa' que se acabe la vaina.

Una vez recogidos los últimos muertos y secadas las últimas lágrimas, cuando el país se puso a trabajar en su ilusión de olvido, esa música de paseos y porros llenó la vida entera. Colombia se sentía capaz de olvidar, de recomenzar, de volver a creer en el futuro. Las cumbias de Lucho Bermúdez llenaban los clubes sociales, la voz de Matilde Díaz saludaba el comienzo de otra época, y después Julio Erazo, que había compuesto el único tango colombiano, *Lejos de ti*, o al menos el único que se volvió realmente popular, llenó las tardes de domingo de los barrios nuevos con canciones traviesas, y Leandro Díaz cantó los paisajes como si los viera, y Escalona instaló en sus paseos los trenes y los aviones, una muchachita que tiene su casa en las nubes y una brasilera que el cantor persigue también en avión hasta las aguas de Belem de Pará.

A orillas del Magdalena, en 1960, en el bar Hawái de Barrancabermeja, una música de alegría incontenible brotó del clarinete de Juan Madera y se contagió como una fiebre a los cuerpos de las parejas que bailaban en el tremendo calor del puerto petrolero. La obra, sólo instrumental al comienzo, parecía perfecta, pero el cantante de la orquesta, Wilson Choperena, le propuso a Madera una letra para su melodía, y así nació la canción por la que más se reconoce a Colombia en el mundo, donde la negra soledad se cambió mágicamente en alegre compañía: *La pollera colorá.*

Así empezó en Colombia la única década feliz de un siglo espantoso. Bastó que la guerra terminara, o para decirlo con más verdad y más franqueza, bastó que la guerra hiciera una pausa, para que Colombia viviera un florecer que hoy podemos mirar como el anuncio de todo lo que podría ser el país si conquistara de verdad su reconciliación. Las ciudades habían crecido, la vida urbana traía a la vez inquietudes y goces.

Por un tiempo, el horror se había replegado a la imaginación: estaba en esas radionovelas que inventaba Fulvio González Caicedo, imitando el viejo programa radial cubano *Apague la luz y escuche.* Pero ya era un consuelo que la violencia real se transmutara en cuentos de espantos y en novelas urbanas: el país volvía a la normalidad, donde los crímenes son sólo accidentes de la pasión o de la locura y no una peste colectiva; Campitos llevaba por los teatros sus parodias de la vida política; la televisión hacía bromas sobre la realidad; el programa *Yo y tú,* dirigido por la española Alicia del Carpio, acercaba con gracia la historia y la vida cotidiana; la radio abundaba en programas de humor, y los jóvenes se creían en la posibilidad de inventar el mundo.

Superado el horror de la segunda guerra mundial, y la depresión existencialista que fue su consecuencia y que llenó en Europa y en Estados Unidos la mitad del siglo, los años sesenta fueron la década de la juventud en todo el hemisferio occidental, y fue una suerte que para nosotros ese despertar coincidiera con el final de nuestra propia guerra. También aquí corrieron por entonces las ideas que conmovían al

mundo: Estanislao Zuleta, Mario Arrubla y Jorge Orlando
Melo reflexionaban sobre el país, traían los grandes debates
de la época, traducían a los autores del momento. Había
una vivacidad intelectual nueva en Orlando Fals Borda, en
Eduardo Umaña, en Jorge Gaitán Durán, en Antonio García,
en Eduardo Santa.

Por esos años llegó a Colombia Marta Traba, una argentina inteligente, sensible, despierta, atenta a los fenómenos
del arte contemporáneo, y supo llamar la atención sobre el
despertar del arte joven en el país. No tenía toda la sutileza
necesaria para apreciar también unas artes más ancladas en
la tradición pero no por ello menos necesarias: los esfuerzos
valerosos de los que sabían que en Colombia todavía había
que descubrir la naturaleza e inventar el paisaje; por eso
menospreció a artistas tan valiosos como Gonzalo Ariza,
que incorporaba a nuestra naturaleza las perspectivas y los
lenguajes de la tradición oriental. No supo comprender la
importancia de los artistas que denunciaban la violencia y
que extraían de esa denuncia del horror poderosos lenguajes
de la modernidad; por eso no supo valorar obras como la de
Carlos Granada, el más indignado y sensible de los pintores
de la Violencia. No apreció suficientemente el valor de los
artistas que buscaban, nutriéndose del arte mexicano, aproxi-
marse a los viejos horizontes míticos de nuestra cultura; por
eso rechazó a Ignacio Gómez Jaramillo, a Pedro Nel Gómez
y a Luis Alberto Acuña, pero al menos estaba embriagada de
optimismo, de juventud, de irreverencia; fundó con Gloria
Zea el Museo de Arte Moderno y fue como si un viento fresco hubiera entrado en nuestro mundo adocenado y aldeano.

Habíamos permanecido en la Edad Media demasiado tiempo, nos habíamos dedicado a odiarnos y a destruirnos bajo la prédica implacable de una dirigencia codiciosa y estulta, pero aunque todavía imperaban el índice católico y la tácita prohibición de leer, las jóvenes generaciones leían, oían en su propia voz "El sueño de las escalinatas" de Jorge Zalamea, escuchaban los poemas delicados e inmóviles de los piedracielistas y preferían la voz llena de asombros de Pablo Neruda, que nos cambiaba a todos la respiración, y pronto los nuevos rebeldes salieron a la calle a desafiar a todo el mundo, a denunciar al país que les había tocado, a escandalizar siquiera al viejo país bipartidista que nunca acababa de irse, al viejo Estado de tinterillos que nunca acababa de enumerar sus incisos y sus occisos, a la Iglesia tenebrosa que seguía incólume sobre tantos desastres.

Su líder era Gonzalo Arango, un muchacho de Andes, que se había formado en el escepticismo y en el espíritu crítico, al lado de Estanislao Zuleta y a la sombra de Fernando González. Gonzalo era uno de los pocos colombianos que sabían qué era lo que acababa de pasar, que entendía que la causa de tantas atrocidades era un poder mezquino, falto de autenticidad y de inteligencia, un clero tenebroso que esclavizaba los espíritus, un Estado autoritario e irresponsable, un pueblo maltratado y privado de educación y de imaginación. Su estrategia era la provocación y la irreverencia; su tropa, una banda de muchachos de la clase media, Jotamario Arbeláez, Jaime Jaramillo Escobar, Elmo Valencia, Amílcar Osorio,

Eduardo Escobar, nutridos del espíritu de los surrealistas y de los poetas *beat*; sus instrumentos, una prosa recursiva, actos desafiantes, proclamas blasfemas, poemas y columnas de prensa. Más que un movimiento literario, el nadaísmo fue un hecho social, y sobre todo una gran amistad, pero si algo necesitaba entonces Colombia era esa prédica de afecto, de solidaridad y de sueños compartidos. Estaban juntos en las fiestas y en las cárceles, en los viajes y en los amores, a la hora de la alegría y a la hora del miedo.

Importantes poetas formaron parte de ese grupo caprichoso y rebelde que por fortuna no respondía a un credo, ni a una doctrina política, ni a un esquema de conducta. Eran grandes improvisadores, sensibles, imaginativos, valientes, desafiantes. No rechazaron el vino de los piedracielistas ni la marihuana de Barba Jacob, ni el vodka de los comunistas ni el agua sagrada de los místicos. Estaban vivos, y salieron a la calle en el momento oportuno: eso es suficiente.

Es fama que uno de los primeros actos de los nadaístas fue la profanación de las hostias en la catedral de Medellín, durante un congreso de escritores católicos. Dicen que alguien le preguntó a Estanislao Zuleta, amigo de Gonzalo Arango desde la adolescencia, qué opinaba de esa profanación. Con una sonrisa, Estanislao contestó: "Siempre ha de ser que creen mucho en eso, porque nadie profana una galleta de soda". La frase es ingeniosa y justa, pero Zuleta no ignoraba que en un país tan oprimido por la superstición y por la tiranía clerical, esos desplantes cumplían un papel, siquiera como signos de resistencia, como esa voluntad de decir no a un mundo intolerante y salvaje.

En el fondo, tanto el espíritu blasfemo de los nadaístas como mucho después las airadas maldiciones de Fernando Vallejo contra el poder clerical forman parte del mosaico de la opresión que obró el clericalismo en Colombia, son índices del poder que llegó a tener la Iglesia sobre los espíritus. Bien dijo T. S. Eliot hablando de las blasfemias de Baudelaire que el satanismo no es lo contrario del orden religioso cristiano sino su complemento rebelde: que los satánicos son seres que quieren entrar en la religión por la puerta de atrás. Pero Fernando Vallejo, con su dominio del idioma, su radicalidad y su constante sentido del humor, es mucho más: es el hombre que rompió el nudo gordiano de un silencio centenario, el hombre que convirtió nuestra más antigua cadena, el lenguaje, en un instrumento de libertad.

Colombia vivió con alegría y con avidez esa tregua de paz, los campesinos se adaptaban a la ciudad, a sus vértigos y sus peligros. El viento rural se instalaba en las calles, pero si bien había para millones de desterrados una pausa de tranquilidad, los gobiernos que trataban de responder al desafío de orientar el tsunami de la urbanización, ese crecer desaforado de las pequeñas ciudades invadiendo el espacio circundante, de llevar a esos barrios electricidad y servicios, el ritmo de crecimiento de la actividad industrial era muy inferior a lo que el país demandaba.

Así, mientras los jóvenes veían por la televisión a Gloria Valencia de Castaño y a los cantantes adolescentes de *El Club del Clan*, que seguían vagamente las modas musicales de

México y de Argentina y los ritmos de la nueva ola francesa, mientras escuchaban las canciones de Óscar Golden y de Pablus Gallinazo, mientras asistían a la reinvención del teatro colombiano en la aventura de Enrique Buenaventura en Cali y de Santiago García y el teatro La Candelaria en Bogotá, mientras seguían las exposiciones de Botero y de Obregón, de Manzur y de Caballero, de Grau y de Bernardo Salcedo, de Negret y de Ramírez Villamizar, de Wiedemann y de Antonio Roda, de Cárdenas y de Beatriz González, el país empezaba a vivir del rebusque.

Lenta, pero no imperceptiblemente, la ciudad fue imponiendo sus rudezas a los marginados, mal recibidos y nunca incorporados a un proyecto social y cultural. Ya en los años sesenta el hurto empezaba a ser un problema: raponeros y carteristas hacían de las suyas en los buses y en las calles. Alguien tenía que advertir que la gente necesitaba empleo, necesitaba inclusión, sentirse parte de un proyecto nacional dignificador y compartido. La vieja tradición de menosprecio por el pueblo, por los pobres, por los indios, por los descendientes de esclavos, seguía siendo el espíritu de la dirigencia, y la única solución a los problemas sociales era la represión.

Lo que se vio en adelante, a lo largo de las décadas, no fueron sólo la pobreza y la miseria; los niños abandonados en las calles a los que en Bogotá llamaban elegantemente, a la francesa, gamines; la indigencia y la mendicidad. Fue una perceptible progresión ascendente que nadie corrigió: fue el paso del hurto al robo, del raponeo al atraco, del atraco a mano armada al asalto y robo de residencias, de la estafa al secuestro. Las conductas antisociales fueron creciendo con

los años, con la falta de respuestas de los gobiernos a las necesidades más urgentes de la población, pronto en los campos
volvió el fenómeno de las guerrillas, pronto en las ciudades
hubo delincuencia organizada: ya en los sesenta una banda
de asaltantes profesionales, La Pesada, daba tema permanente a los noticieros. Lo que nadie presentía era que de esas
primeras oleadas de delincuencia se alzarían con el tiempo
grandes fuerzas sociales que estremecieron a Colombia: los
ejércitos insurgentes, las mafias del narcotráfico, el retorno
del paramilitarismo, y nuevas oleadas de violencia y de horror.

Todo eso sería fruto del Frente Nacional y de sus horizontes estrechos, de su espíritu de exclusión y de la ceguera de
sus dirigentes, pero en los primeros tiempos hubo algo festivo
e idílico en el sueño de una reconciliación nacional. El país
ofrecía sin embargo tan poco para los que verdaderamente
tenían expectativas de prosperidad, que muy pronto comenzó
el éxodo hacia Venezuela y hacia los Estados Unidos. Los
pobres descubrieron que más allá de las fronteras había
salarios decentes para el esfuerzo, había garantías laborales,
había respeto por el trabajo, había verdaderas oportunidades.

En 1948, cuando murió Gaitán, comenzaba un nuevo
orden internacional. Una de tantas cosas inquietantes que es-
conde esta historia es la cantidad de personajes significativos
de la política hemisférica que estaban presentes en Bogotá el
día del crimen. Se celebraba la IX Conferencia Panamericana,
que proyectaba crear un nuevo sistema continental con la
fundación de la Organización de los Estados Americanos

(OEA), y había delegaciones destacadas de los veintiún países miembros, coincidiendo con diplomáticos y asistentes no oficiales, de modo que en Bogotá se encontraban desde Marshall y Rómulo Betancourt hasta Fidel Castro, Joaquín Balaguer y Luis Cardoza y Aragón.

Sólo habían transcurrido dos años desde el fin de la segunda guerra mundial, comenzaba la guerra fría entre las dos grandes potencias que emergieron de aquel apocalipsis, ese mismo año se había fundado el Estado de Israel, ya estaba triunfando la Revolución china y el fantasma del comunismo recorría el mundo.

La República española, aplastada por la Falange, había emigrado hacia América y alentaba aventuras intelectuales en estas orillas del Atlántico. Ella impulsó las grandes iniciativas editoriales de México y de Buenos Aires. Los intelectuales europeos que huían de la guerra estimularon un despertar del pensamiento en la América Latina.

El propio Eduardo Santos, cuyo papel histórico había sido aplicar el freno a la reforma liberal que Colombia precisaba de vida o muerte, no dejó de tener algún rasgo liberal, siquiera en el campo de la hospitalidad intelectual, y había recibido a investigadores como Paul Rivet y Gerardo Reichel-Dolmatoff, que tanto contribuyeron con los años al rescate de la memoria indígena y a la reivindicación del valor de las comunidades nativas, de sus saberes y de sus mitologías, en el mosaico de la nación.

También fue él quien recibió a Richard Evan Schultes, cuya labor en la investigación de la riqueza botánica del país es invaluable, y de la que da testimonio esa hermosa novela del conocimiento y el amor por el mundo que es *El río*, de Wade Davis. Y no fue menor el aporte de otro inmigrante, el alemán Gerhard Masur, quien dedicó sus años en Colombia a escribir la más notable biografía del Libertador Simón Bolívar, un libro copioso en su información, detallado en su conocimiento y lleno además de honda sabiduría humana.

Apenas comenzaba el Frente Nacional cuando estalló en Cuba la Revolución. Resulta difícil entender que fuera precisamente el régimen que acababan de inventar en Colombia los dos partidos tradicionales el que denunciara a Cuba como un enemigo de la unión continental y propusiera su expulsión de la Organización de los Estados Americanos.

No lo digo porque Cuba fuera más democrática que Colombia, sino porque para fundar el Frente Nacional se había vivido una guerra inhumana que le costó trescientos mil muertos al país; es más: la Violencia no había terminado todavía, y nadie en el orden hemisférico instaurado doce años atrás les había exigido explicaciones a los partidos colombianos por ese escandaloso desangre. Siempre es que ser buenos amigos de las grandes potencias exime a ciertos gobernantes de muchas responsabilidades. El bipartidismo nacional había celebrado una alianza cada vez más rendida con los Estados Unidos, y Colombia fue el principal socio de ese país en su combate contra el nuevo régimen cubano.

A partir del momento en que los cubanos hicieron su revolución, la dirigencia colombiana consideró comunismo y terrorismo todo reclamo popular, persiguió con ferocidad la disidencia, satanizó la rebeldía, y curiosamente, por ese camino, que no era más que llevar al extremo una vieja tradición, convirtiendo la lucha democrática en un crimen, acosándola con tribunales y con cárceles, cuando no con poderosas medidas de fuerza, suprimiendo las garantías constitucionales, empujó a la violencia a muchos luchadores populares, y empezó a forjar la catástrofe en que se convertiría Colombia durante varias décadas.

Si la llegada de la república liberal había puesto nuestro petróleo en manos norteamericanas, si el crac del 29 había frustrado nuestra red ferroviaria, la segunda guerra mundial, aunque permitió el crecimiento de una industria nacional de bienes básicos, de textiles, de calzado, de hierro, de materiales de construcción, de alimentos, nos alineó de un modo irrestricto en la vieja tradición del *Respice polum*, de sólo mirar hacia el norte, y la estrella del norte no advirtió que Colombia había postergado hasta la eternidad sus urgentes reformas liberales.

Pero desde mucho antes de la Revolución cubana, desde mucho antes de que en Colombia existieran las guerrillas, ya se perseguía aquí la lucha popular. Desde los años veinte, desde el nacimiento de la industria, había comenzado la hostilidad con el movimiento sindical. En esas luchas se destacó una mujer notable: la antioqueña María Cano, que afirmó los derechos de la mujer y del trabajo, los principios básicos de una sociedad liberal que despierta, y fue perseguida por ese esfuerzo, cuando en realidad era el símbolo de la dignidad y de la modernidad de la mujer colombiana.

María Cano estimuló las luchas de los obreros petroleros en Barrancabermeja, e invitaba a los obreros a participar "del placer exquisito de leer", estimuló la lucha de los ferroviarios, la lucha por buenas condiciones de trabajo en las trilladoras, la lucha por la tierra de los campesinos de Viotá, hizo valer sus derechos como mujer y como ciudadana, siguió con interés lo que ocurría entonces en todo el mundo y celebró con energía la caída del nazismo.

Pero uno de los momentos más duros de su carrera fue la prisión que afrontó por haber denunciado la masacre de las bananeras; ya en el modo como fue tratada esta encarnación de la dignidad democrática, de la generosidad liberal, se puede advertir bien el espíritu que dominaba y sigue dominando a Colombia.

Uno se pregunta cuál es la causa de esa desmedida reacción antipopular de la élite colombiana; qué es lo que la lleva a declarar subversiva y comunista toda protesta, a tratar a los estudiantes que arrojan piedras como a siniestros terroristas, a los campesinos que reclaman cambios como a guerrilleros infiltrados, a los ciudadanos que marchan como peligrosos rebeldes. Por qué esa dirigencia sigue viendo en todo un peligro comunista, incluso cuando ya el comunismo es como un delirio de otra época, una fiebre que quedó atrás.

La asombrosa respuesta es que la élite colombiana no odia al comunismo ni a la subversión sino al liberalismo: lo que odia y teme es el discurso de los derechos humanos, de las reivindicaciones ciudadanas, los movimientos sindicales, todos esos instrumentos de la democracia liberal, porque pertenece más bien a un sistema de castas y de repulsiones anterior a toda modernidad. A Gaitán no lo mataron por ser socialista: la conmovedora verdad es que lo mataron por ser liberal: las tres palabras en las cuales creía, y por las cuales lo odiaron, son Libertad, Igualdad y Fraternidad.

A comienzos de los años sesenta, un sector del liberalismo denunció al Frente Nacional como un pacto antidemocrático, y buscó hacerse vocero del pueblo, de los obreros de la industria precaria, de los campesinos desposeídos que llegaban en masa a las ciudades. Si bien algunos de sus líderes nacionales terminaron aliados con el establecimiento, muchos de los líderes regionales del Movimiento Revolucionario Liberal (MRL), la última tentativa histórica por darle sentido filosófico y coherencia a un partido que había abandonado todos los principios, fueron verdadera expresión de ese espíritu popular.

En Cali, Alfonso Barberena y su compañera, Balvaneda Álvarez, libraron una lucha admirable para que los ejidos municipales fueran una solución de vivienda para miles de despojados. Era el viejo espíritu gaitanista que se resistía a morir, pero ya el país estaba en manos de una tenaza implacable; en adelante, los críticos del modelo no tenían más alternativa que plegarse a éste, abandonar la lucha o lanzarse a una aventura sin horizontes.

Cali, que había vivido en 1956 durante el régimen militar una tragedia pavorosa, cuando siete camiones cargados de dinamita, irresponsablemente estacionados en una avenida, estallaron en la noche e hicieron volar toda una sección de la ciudad con una cifra indeterminada de víctimas, emprendió su reinvención urbana y se convirtió en las dos décadas siguientes tal vez en la ciudad más viva y dinámica del país. Lo que habían sido Bogotá, Cartagena y Popayán en tiempos de la Colonia y de la primera república, lo que había sido Manizales en tiempos del auge cafetero, lo que había sido Barranquilla con el auge del comercio, lo que había sido Medellín con la primera industrialización.

Nuevas ciudades se sumaban al proceso de urbanización, y hay que decir que una característica singular de Colombia es que a pesar de su extremo centralismo político, en el campo económico y sobre todo en el campo cultural siempre fue un país de regiones vigorosas y originales.

Tal vez donde tradicionalmente hubo menos literatura fue en Bogotá: la Tunja de Juan de Castellanos, de Hernando Domínguez Camargo y de Julio Flórez; la Cartagena de Fernández Madrid, de Luis Carlos López, de Germán Espinosa; la Barranquilla de García Márquez y de Álvaro Cepeda Samudio; el Sinú de Raúl Gómez Jattin; la Antioquia de Epifanio Mejía, de Carrasquilla, de Efe Gómez, de Porfirio Barba Jacob, de León de Greiff, de Fernando González, de Manuel Mejía Vallejo, de Estanislao Zuleta, de Gonzalo Arango, de José Manuel Arango; el Santander de Jesús Zárate Moreno y de Pedro Gómez Valderrama; el Viejo Caldas de Bernardo Arias Trujillo, de Danilo Cruz Vélez y de Tulio Bayer; el Tolima de Diego Fallon, de Juan Lozano y Lozano y de Arturo Camacho Ramírez; el Huila de José Eustasio Rivera; el Valle de Jorge Isaacs, de Antonio Llanos y de Daniel Caicedo; el Casanare de Eduardo Carranza; el Cauca de Guillermo Valencia y de Rafael Maya; el Nariño de Aurelio Arturo, pesan para nuestra historia más que la Bogotá de Rafael Pombo, de Caro, de Silva, de Jorge Zalamea, de Nicolás Gómez Dávila y de Osorio Lizarazo.

Había un pueblo por todas partes tratando de creer en el futuro y de soñar un país posible, y en el campo de la cultura y de las artes hubo en aquellos tiempos una efervescencia admirable. Colombia es un país paradójico, en el que siempre es posible encontrar una suerte de desesperada alegría: desde los tiempos campesinos era posible ver la alegría combinada con la ferocidad; aquí es fácil que la celebración de un triunfo deportivo termine dejando heridos y muertos, porque algo en la prédica religiosa del sacrificio hizo tal vez que nos sintiéramos culpables de ser felices y que hubiera en nuestra gente una misteriosa propensión al sacrificio.

Pero si ante la felicidad se yergue como una sombra inevitable el fatalismo, así ante el horror tiende a alzarse el espíritu festivo de un pueblo que trata de no hundirse en la fatalidad. Barba Jacob exclamaba: "Contra la muerte, coros de alegría", y posiblemente sin ese ánimo reactivo, que inventa razones para seguir viviendo, el país no habría podido sobrevivir a sus muchos desastres.

La primera impresión que tienen de Colombia los viajeros es la de un pueblo dulce, hospitalario y feliz, tan acogedor, que a veces no pueden creerlo, y les cuesta aceptar la verdad de esa trama de acumuladas tragedias y desdichas que sólo puede describir quien lo conoce. El país siempre muestra una superficie engañosa, no necesariamente por hipocresía sino por una terca necesidad de convencerse de que las cosas no van mal.

Un gran estudioso de las lenguas, que vive en Colombia desde hace treinta y cinco años, me dijo alguna vez que lo que más lo había sorprendido desde el comienzo había sido la claridad conceptual de los políticos y los dirigentes: su discurso revelaba no sólo gran modernidad de pensamiento sino una notable agudeza del análisis, unida a una pertinente comprensión de las soluciones. Sin embargo, en todo ese tiempo el país no cambiaba. Tardó muchos años en entender que el discurso de los dirigentes nunca tenía aplicación práctica, era más una coartada que una filosofía, una cosa era lo que decían y otra lo que hacían en su vida práctica.

Esa es quizás una de las consecuencias de que aquí no hubiera desde el principio una correspondencia entre la lengua y la realidad: la lengua que vino de otra parte, que se sentía superior al mundo al que llegaba, desde el comienzo intentó no descubrir sino cubrir este mundo con sus interpretaciones y sus imposturas, con sus verdades, su autoridad y su importancia, pero procuraba flotar sobre la realidad sin arraigar en ella, no pretendía descifrar la realidad sino acomodarla a su lógica, y terminó siendo menos un instrumento para entender el mundo que un instrumento del poder para disfrazarlo o para desentenderse de él.

Ello tuvo que ocurrir en todos los países del continente, pero el ingreso en la modernidad supuso en todas partes el esfuerzo de construcción de una conciencia crítica que moderara las pretensiones mistificadoras del lenguaje. Fue la alianza de la lengua con una religión asfixiante y tiránica, de espíritu medieval, que se negaba a hacerle concesiones a la realidad y que procuraba imponerse por el temor y por la autoridad, no por la argumentación y la persuasión, lo que nos eternizó en un modelo negado a la investigación, al diálogo y a la lógica.

Basta ver a esos funcionarios que nunca responden a lo que se les pregunta, pero que siempre tienen una maraña de argumentos de autoridad que enredan el asunto y desvían la atención; basta ver el poder que dicho lenguaje astuto y cínico alcanza en ese contexto tan típicamente contemporáneo de unos medios de comunicación que tienen el tiempo medido, y donde todo mensaje va en una sola dirección, para entender de qué manera, cuando el relato de la nación dejó de estar exclusivamente en manos de la Iglesia y en manos de los políticos, los malabarismos de la comunicación se encargaron de construir una versión del país ya no fundada en la tradición, el pensamiento ni el conocimiento, sino en las urgencias de la actualidad, en el impacto de la novedad, en las alarmas de una versión de los hechos enfática, momentánea y discontinua, que fácilmente se convierte en espectáculo.

Algo distinto ocurrió en sus comienzos con la lengua inglesa en el norte del continente. Allí el peso de la ética protestante fue fundamental en la construcción de una legalidad responsable; allí el respeto por el ciudadano se fundó en una verdadera tradición ilustrada; allí se hicieron esfuerzos reales por incorporar las minorías al discurso incluyente de la nación; el pacto social fue respetado, los inmigrantes cíclicamente integrados al espíritu de la legalidad, el orgullo del territorio marcó el empuje de los empresarios, el mito americano configuró una leyenda nacional, y las prioridades del consumo interno, de la opinión ciudadana, de la grandeza del país, impulsaron todas las iniciativas económicas, políticas y culturales.

Basta oír el tono con que en un poema de Edgar Lee Masters, una mujer que fue en la leyenda novia e inspiradora de Abraham Lincoln habla desde la tumba de la grandeza de su patria:

> *Oscura, indigna, pero brotan de mí*
> *las vibraciones de una música eterna:*
> *sin rencor para nadie, con compasión para todos.*
> *En mí el perdón de millones de hombres para millones,*
> *y la faz venturosa de una nación*
> *resplandeciente de justicia y verdad.*
> *Soy Ann Rutledge, que reposa bajo esta hierba,*
> *adorada en vida por Abraham Lincoln,*
> *desposada con él, no por la unión sino por la separación.*
> *Florece para siempre, oh República,*
> *del polvo de mi pecho.*

Es imposible exagerar la importancia de estas cosas invisibles, de la lealtad, del amor por el territorio, del orgullo por los conciudadanos, de la solidaridad, de la confianza, de la responsabilidad, de la conciencia de sentirse aceptado y dignificado, en la construcción de una sociedad verdadera. Por eso también son hechos políticos fundamentales el afecto, el orgullo, la dignidad, el respeto, la compasión, la memoria compartida, el amor que se convierte en generosidad, en confianza y en convivencia.

Por eso es para ello indispensable transformar una lengua que se ha utilizado por siglos para someter y para despojar, para negar los valores colectivos, en un instrumento expresivo de la emoción y del afecto, en un poder que de verdad ayude a descifrar la realidad y que también ayude a transformarla.

Por algo el lenguaje fue entre nosotros desde el comienzo el cohesionador de una realidad discordante. Pero tal vez esa pasión por la gramática de los gobernantes colombianos era el símbolo de una secreta alianza del poder político con el poder imperativo del lenguaje. Aquí todavía tenemos que preguntarnos por qué necesitamos sin cesar tantas leyes y por qué sin embargo la profusión de las normas no nos hace más capaces de convivir. Los filósofos del derecho saben que todo exceso de normas sólo delata la falta absoluta de costumbres y tradiciones, y ante todo propicia la cultura de la transgresión.

Un excesivo énfasis en ese carácter normativo del lenguaje termina sometiendo el habla y el pensamiento a unos esquemas mentales, a unos formatos que no se muestran como tales sino que se fingen leyes inapelables, formas del bien, de la civilidad y del buen gusto. Tener completamente codificado el lenguaje sirve ante todo para detectar lo que se sale del molde establecido, y en Colombia el lenguaje se convirtió en un instrumento sutilísimo de control social, porque vivimos en un país donde el sistema de las estratificaciones alcanza unos niveles abrumadores.

Cuando ya no era fácil detectar por sus rasgos físicos quién pertenecía a la vieja estirpe de criollos y mestizos que hicieron la república y quién pertenecía a las especies excluidas de indios, negros, zambos y mulatos, el lenguaje, las maneras, se convirtieron en un elemento delator. Ya se sabe que precisamente para mantener ese espíritu de aristocracia negadora de los demás, para que no se diera esa homogeneidad cultural, se rechazó siempre la idea de la educación universal, obligatoria y gratuita, que podía convertirnos en ciudadanos equivalentes.

La educación fue más bien el principal instrumento perpetuador de la desigualdad. Por eso es doloroso saber que de cien niños que ingresan al sistema escolar sólo diecisiete terminan el segundo ciclo, y que la gran mayoría de los desertores lo hacen porque el sistema los expulsa. Muchos ya al entrar en la escuela vienen seguramente negados para ser sujetos del conocimiento, ya se les ha negado el derecho a ser interlocutores, a preguntar, a disentir. Y es que antes de ingresar en el orden del conocimiento es preciso haber ingresado en los órdenes del afecto y de la dignidad, y para muchos la sociedad se ha encargado desde el comienzo de cerrar las puertas a la construcción de una ciudadanía verdadera.

Por eso se esfuerzan en vano los gobernantes en emprender reformas educativas que no tengan en cuenta la inclusión social, la dignificación de los ciudadanos, la posibilidad de ocupar un lugar en la economía, la incorporación a un relato de memoria compartida y de orgullo nacional, un diálogo posible entre las generaciones, entre amigos, entre la economía y la salud, entre la recreación y la cultura, entre la escuela y la vida.

Un modelo como el que se ha eternizado en Colombia sólo puede ser sostenido por la arrogancia o por la estupidez: ninguna dirigencia es tan suicida como para negarles a tantos ciudadanos la mínima dignidad que les permita ser parte de un proyecto de nación. Aunque en todo el mundo haya riqueza y pobreza, existen tradiciones de solidaridad, espacios de convivencia, esfuerzos de inclusión, leyendas compartidas. Una casta insensata que se desentienda de la suerte de las mayorías, que irrespete el trabajo y se resigne a estar rodeada de seres despojados y resentidos, termina prisionera de su propia locura, sin poder salir siquiera a la calle.

Esta dirigencia colombiana, presa de una ideología medieval, ha permitido por décadas que la moral social se degrade, que grandes sectores sociales se hundan en el desamparo, la indigencia y la marginalidad, cuando no en la rebeldía y en el crimen. Pero no ha asumido jamás la responsabilidad de lo ocurrido, se niega a reconocer que fue ella quien propició esas exclusiones, y acaba sintiendo que sus conciudadanos son extraterrestres.

Viendo por todas partes los resultados de una manera maligna de utilizar el poder para asegurar privilegios y negar la justicia, termina sintiendo sin embargo que toda protesta es absurda, que toda insumisión es perversa, y que la inevitable rebeldía que el modelo produce es una manifestación del mal y debe ser exterminada.

Nada se nos predica más en los últimos tiempos que el exterminio de los monstruos, pero nadie se pregunta qué es lo que hace que en una sociedad surjan sin cesar tantos enemigos del orden público, por qué década tras década hay que salir a "pacificar" el país en nuevas cruzadas de exterminio que siempre nos dejan asombrados ante la magnitud del mal y nos insensibilizan ante la atrocidad de los resultados.

La dirigencia colombiana se pregunta cada vez con más frecuencia cuál es la causa de los males, y casi siempre señala con el dedo hacia algún costado de nuestra compleja realidad. Atribuyó la culpa a los bandoleros de los años cincuenta, pero después de exterminarlos el mal siguió creciendo. Atribuyó la culpa a las primeras guerrillas, a las que entonces no se les reconocían causas internas: la responsabilidad era del comunismo internacional. Pero una vez caída la Unión Soviética y clausurado el proyecto comunista, los males de Colombia seguían en pie.

A finales de la década de los ochenta la culpa de todo nuestro desorden estaba en los grandes capos del narcotráfico, pero una vez abatido Gonzalo Rodríguez Gacha en el litoral caribe, abaleado Pablo Escobar en los tejados de Medellín, extraditados a los Estados Unidos los hermanos Rodríguez Orejuela y exterminados entre sí los hombres del cartel del norte del Valle, los problemas de Colombia persistían. Eran las guerrillas las causantes de todo, era la delincuencia común, era el invierno.

Todos esos esfuerzos por encontrar un culpable de nuestras pestes evitaban el problema central: preguntarse quién arrojó a los guerrilleros a la insurgencia, a los delincuentes al delito, a los pobres a la pobreza, a los mafiosos al narcotráfico, a los paramilitares al combate, a los sicarios a su oficio mercenario, sino una manera de gobernar al país que cierra las puertas a todo lo que no pertenezca al orden de los escogidos.

Esa dirigencia que tiene todos los privilegios, toma todas las decisiones y administra todos los presupuestos, nunca asume las responsabilidades, pero está siempre por encima de toda sospecha. Y descifrar la realidad resulta enigmático cuando hay cosas que no se deben decir, sectores de los que no se puede sospechar. La dirigencia colombiana es como Edipo: señala culpables a diestra y siniestra para no tener que preguntarle al vidente quién es el causante de las pestes de Tebas.

Los escritores colombianos seguían viéndose obligados a irse del país, no tanto porque se los expulsara sino porque no había aquí ni ambiente propicio para la creación, ni estímulos, y ni siquiera un respeto por los procesos creadores. Un país a veces dispuesto a leer los libros no parecía nunca dispuesto a ayudar a escribirlos.

Álvaro Mutis había viajado a México, a donde lo persiguió la intolerancia de unas empresas que consideraban siempre aceptable gastar dinero en campañas electorales y en relaciones públicas pero que veían escandaloso que se hicieran esos mismos gastos en relaciones culturales y en estímulos a los creadores, pero ello fue afortunado para su propia obra, y cuando detrás de Álvaro Mutis llegó Gabriel García Márquez, el entorno cultural mexicano le permitió robarles tiempo a la publicidad y al periodismo para entregarse a las tareas literarias.

En 1967 apareció en Buenos Aires *Cien años de soledad*. No era una novela: era una explosión de vida, de creatividad y de lenguaje inspirado. Nuestro continente nunca había experimentado un fenómeno de asombro editorial como el que se vivió en Buenos Aires en esas primeras semanas, cuando no parecía que estuviera surgiendo un libro sino un país, un continente. Todo lo que el poder tradicional de Colombia se había empeñado por décadas en borrar de la realidad: el pensamiento mágico indígena, el vigor de la mulatería, el colorido local, la sensualidad desafiante, el árbol de las razas, brotaba convertido en conjuro poderoso e ineluctable.

García Márquez no contaba la historia de Colombia, sino la historia de una aldea fabulosa perdida entre las ciénagas y la sierra, cerca de un mar invisible, abandonada por los poderes centrales, lejos de las rutas del correo, lejos de la historia universal: pero era Colombia esa aldea tiranizada por la superstición, arrasada por las guerras civiles, perseguida por la obsesión de un viejo crimen incestuoso, cautiva de la vida familiar, deslumbrada con todo lo que venía de afuera, las magias engañosas de los gitanos, los refinamientos musicales de los italianos, los vicios franceses, las compañías coloniales gringas.

Una naturaleza exuberante, cuya vegetación se veía crecer ante los ojos, una vitalidad desbordada, todos los recursos del

ingenio y los esguinces de la malicia en una prosa asombrosa-
mente nítida, hipnótica en su fluidez y su minuciosidad, y una
galería de personajes cuya manera de vivir estaba siempre a
mitad de camino entre la clarividencia y la locura. Colombia
se había demorado en dar al mundo noticias de sí misma,
pero cuando apareció supo desconcertar por igual a eruditos
y a profanos: la novela de García Márquez parecía la gruta
del tesoro de *Las mil y una noches*.

La vieja obsesión de la culpa por un crimen antiguo, los
éxodos del origen, la maldición de la discordia entre vecinos,
la peste del olvido, la fecundidad destructiva, el aislamiento y
el diluvio, la rutina de las guerras civiles, la terca vida brotando
siempre otra vez entre las muertes y las ruinas, dejaban en la
conciencia una sensación de milagro. Explicar la magia de esa
prosa poderosa y cautivadora sería, como dijo John Keats de
la poesía, destejer el arco iris. Pero el primero de los biógrafos
de García Márquez, Dasso Saldívar, ha procurado mostrarnos
de qué modo los muchos episodios de la fábula son hechos
de la historia transfigurados por el poder del lenguaje y por
los símbolos de la imaginación.

Recuerdo que una vez, cuando ya Gabo era una leyenda
que hacía llorar de sorpresa a las muchachas por las calles,
alguien le dijo: "Gabo, a ti ya te leen más que al Espíritu
Santo, y eso es pecado. Cuéntame cuál es tu secreto".
Y Gabo le contestó: "La verdad es que sí tengo un secreto,
y te lo voy a revelar: todo consiste en impedir que el lector
se despierte".

En otros libros de García Márquez uno siente el trabajo de un gran artífice, de un investigador riguroso, de un

creador inspirado. Pero en *Cien años de soledad* no se siente trabajo alguno: uno tiene la impresión de que el autor, como los poetas antiguos, está escribiendo al ritmo de un soplo desconocido, es un surtidor en estado de inspiración pura, y al mismo tiempo es consciente de cada palabra y de su peso en el relato. Cuando le dijeron que los días de su escritura debieron ser días de una asombrosa iluminación, el autor contestó: "Se me ocurrían tantas cosas a cada instante, que creo que si hubiera tenido un poco más de dinero, la novela habría durado otras doscientas páginas".

Un hecho literario e histórico de esta magnitud no podía obedecer exclusivamente a un estado anímico personal: García Márquez siempre se sintió parte viva de una cultura, siempre se identificó con su tierra, con la música de su mundo vallenato, con la cultura popular del país y con el despertar de la América Latina. Su libro era un signo de ese gran despertar: América Latina empezó a ser percibida de otro modo a partir de las creaciones de aquella generación de los años sesenta a la que los editores dieron un nombre publicitario: el *boom* latinoamericano, por la resonancia súbita que tuvo en el mundo entero y sobre todo en lengua inglesa.

Los años sesenta llenaron de hechos y de símbolos el mundo: fueron la edad de Los Beatles y de la Revolución cubana, de la muerte de Kennedy y de Marilyn Monroe, del Che Guevara y de la revolución cultural china, de las revueltas de mayo del 68 en París y de la invasión a Checoslovaquia por los rusos, de la guerra de Vietnam y de la llegada del hombre a la Luna, del Concilio Vaticano y de la guerra de Argelia, de la guerra de los Seis Días y de Martin Luther King, de la

matanza de los estudiantes en México y del Festival de Woods-
tock: García Márquez aportó a ese mosaico heterogéneo
y memorable uno de los hechos más felices de nuestra historia, la novela que puso a Colombia en el mundo.

Habíamos crecido como un país marginal, colonizado,
vuelto invisible por un discurso inauténtico, mezquino y
simulador. La historia estaba en otra parte, la belleza estaba
en otra parte, la cultura estaba en otra parte, pero algo se
estaba gestando en nuestra realidad. El discurso reductor de
la élite no podría contener por más tiempo a una sociedad
vigorosa y contradictoria que empezaba a encontrarse a sí
misma y a reconocer la complejidad que había en sus entrañas.
El libro de García Márquez fue definitivo para que Colombia
comenzara a mirarse de otro modo, comenzara a admirarse
de otro modo, y empezara a tener ojos para ver sus matices
y su complejidad.

El lenguaje seguía cumpliendo con la misteriosa misión
de ser el elemento central del relato, el articulador de nuestro
orden social. Oscar Wilde afirmó que la realidad copia al arte,
que nunca hubo niebla en Londres hasta que los ingleses la
vieron en los cuadros de Whistler: lo que tal vez quería decir
es que el arte está aquí para revelarnos el mundo en que vivimos, que los ojos de la costumbre suelen hacernos ciegos
a muchas cosas de la realidad, y que el arte cumple con esa
función perpleja y reveladora de hacernos sensibles a cosas
que, aunque estuvieron siempre ante nosotros, no estábamos
en condiciones de advertir.

Largo sería el proceso de despertar de Colombia. Pero lo
que nos mantenía en el letargo era un discurso que negaba

todo lo que fuimos: el discurso colonial, el discurso clerical, el discurso faccioso de los partidos y de una dirigencia que se esforzaba por ignorar el mundo al que pertenecía. Pero aún tendríamos que pasar por muchas conmociones, antes de que Colombia despertara a su realidad contemporánea, y cuando por fin pudimos ver lo que éramos, el desconcierto se apoderó de nosotros.

También era preciso que la dirigencia colombiana perdiera su capacidad de ahogar el país en su negación feroz y en su discurso. Y yo diría que fue a partir de los años cincuenta cuando la vieja dirigencia perdió su poderío hegemónico sobre la sociedad. Hasta los años cincuenta, el poder de la élite colombiana fue indudable. Ya el gaitanismo había sido una primera señal de que en Colombia algo no cabía en el modelo simplificador y arrogante de la casta republicana.

Para detener ese cambio radical de rumbo que Gaitán proponía, la élite tuvo que recurrir a la violencia y la fanatización de la sociedad. Con Rojas Pinilla comprendió que ni siquiera en el ejército podía confiar como guardián del viejo poder de las castas, y al retomar rápidamente las riendas del país, optó por construir el modelo excluyente y aristocrático del Frente Nacional. Pero ya el país no cabía en su modelo.

Cada gobierno del Frente Nacional les dejó a la dirigencia y al país algún problema grave sin resolver: un conflicto de largo aliento. En el gobierno de Alberto Lleras no sólo culminó el éxodo de los campesinos hacia las ciudades, también se dio el fenómeno, no advertido plenamente entonces, de que muchos campesinos no aceptaron ese destino urbano que la violencia les imponía, y se replegaron más bien por fuera de la frontera económica, hacia ese otro medio país que, como vimos, no cabía en el orden institucional.

Allí no sólo comenzó el proceso de colonización de los llamados territorios nacionales, de la extensa Orinoquia, sino el fenómeno de una guerrilla que ya no se identificaba con los partidos tradicionales. Los primeros guerrilleros comunistas eran en realidad liberales traicionados, campesinos que le dijeron no a la orden de emigrar a la ciudad, las gentes del campo que decidieron permanecer en el campo y comprendieron que sólo podrían hacerlo resistiendo. Los campesinos de El Pato, Riochiquito y Guayabero que en 1964 le exigieron al gobierno obras públicas, carreteras, puentes, presencia institucional del Estado y puestos de salud tal vez no se habrían convertido en otra cosa si se hubieran atendido a tiempo sus exigencias, pero el viejo país soberbio y despectivo les mandó la tropa y los bombardeó.

Fue un hijo de Laureano Gómez, Álvaro Gómez Hurtado, quien, para magnificar su amenaza, inauguró la costumbre de llamar a todo núcleo de campesinos exigentes "repúblicas independientes", y logró que el gobierno respondiera con furia aniquiladora a esos reclamos. Nunca imaginó la dirigencia que esos campesinos a los que se habría podido incorporar a la legalidad con un poco de asistencia técnica y social, con una mínima inversión oportuna, no sólo sobrevivirían al exterminio sino que se alzarían en guerrilla, y que crecerían al ritmo del malestar social hasta convertirse con las décadas en un verdadero ejército insurgente. Un campesino que había formado parte de las guerrillas liberales, Manuel Marulanda, fue el fundador de las Fuerzas Armadas Revolucionarias de Colombia (FARC), que librarían contra el Estado una guerra de cincuenta años.

Hoy, hasta los presidentes de la república nos dicen que las guerrillas no son ya lo que eran antes, esos campesinos hastiados de la injusticia que luchaban por sus derechos, guerreros románticos que creían en la necesidad de un país distinto, que con el tiempo esas guerrillas justicieras se fueron volviendo criminales, que a partir de cierto momento se beneficiaron del narcotráfico para financiar su guerra, y que terminaron convertidos en terroristas.

Pero lo cierto es que en los primeros tiempos no los trataron precisamente como guerreros románticos a los que hubiera que respetar y atender, con los que pudo haberse hecho la paz antes de que se convirtieran en un fenómeno violento extendido por todo el territorio. Y nadie reconoce que fue ese manejo puramente militar a un problema que tenía sus raíces en la dramática historia del país, en esa historia dolorosa y salvaje que he tratado de rastrear en estas páginas, lo que hizo que esos combatientes humildes del comienzo se convirtieran en los guerreros implacables de hoy.

Manuel Marulanda pasará sin embargo a la historia como el campesino que no se dejó arrojar a las ciudades, el que le dijo no por la fuerza a ese viento rojo y ciego que expulsaba a millones de seres a la pobreza urbana, a la marginalidad y a la nostalgia. Creyó que era posible otro país, o que al menos el país campesino no podía dejarse pisotear por la historia, y si su movimiento finalmente se hundió muchas veces en la barbarie y en la inhumanidad, porque la historia es amarga y las guerras son crueles, al menos demostró que en esos campesinos había una dignidad irreductible, una firmeza inesperada y un asombroso carácter.

Un día, en la lectura de la tremenda novela *Michael Kohlhaas* de Heinrich von Kleist, que cuenta la historia de un hombre, víctima de una injusticia, que hizo una guerra salvaje contra el poder en la Alemania del siglo XVI, sentí que había encontrado un personaje literario que se le asemejaba, y creo que tuvo razón Belisario Betancur cuando al regresar de una entrevista con el viejo guerrillero en las selvas de Colombia, en uno de sus intentos de hacer la paz, dijo, ante el asombro de los periodistas, que había conocido a una leyenda.

Tal vez Marulanda habría sido otra cosa de haber pertenecido a un país distinto, tal vez Colombia le habría dado lo que México les dio a Pancho Villa y a Emiliano Zapata, y tal vez se merezca estos versos de Jorge Luis Borges, un hombre que acaso no lo habría admirado jamás:

Supiste que vencer o ser vencido
son caras de un azar indiferente,
que no hay otra virtud que ser valiente,
y que el mármol, al fin, será el olvido.

Uno podría atribuirle la aparición de las FARC exclusivamente al influjo de la Revolución rusa y de los partidos comunistas, pero queda por explicar por qué cuando en 1989 se desplomaron la Unión Soviética y todos los regímenes que estaban sujetos a su influencia, y desaparecieron las guerrillas en todo el resto de la América Latina, esta guerrilla colombiana no sólo no se haya extinguido bajo el peso de la guerra oficial, como muchas guerrillas del continente, sino que haya vivido en los tiempos recientes un auge significativo.

Vino el gobierno de Guillermo León Valencia, y bajo su mando crecieron en Colombia nuevas guerrillas. La represión del movimiento estudiantil y la insatisfacción de sectores sensibles, particularmente de la Iglesia, ante la pobreza creciente y la desigualdad, hicieron surgir al Ejército de Liberación Nacional (ELN), y lo vieron fortalecerse con la partida de algunos líderes estudiantiles hacia las montañas. Se sabe que la principal influencia sobre este grupo guerrillero la tuvieron la Revolución cubana y las teorías del foco guerrillero que habían desarrollado Fidel Castro y sus hombres a la luz de la experiencia de la Sierra Maestra.

Un joven estudiante de Derecho en la Universidad Nacional por los días en que allí estudiaba Gabriel García Márquez, un joven justiciero y sensible llamado Camilo Torres Restrepo, encarnó en aquellos tiempos toda la insatisfacción que el nuevo régimen despertaba en los ciudadanos. Le había tocado vivir el fin de la república liberal, la muerte de Gaitán, la Violencia, no sabía de qué manera dedicar su vida al servicio de su pueblo, y pronto sintió que el derecho no sería el instrumento de esa transformación que buscaba, porque la ley en Colombia era enemiga de la justicia.

Se hizo sacerdote: la Iglesia no era ya sólo el viejo clero fanático, ahora también había jóvenes influidos por la Teología de la Liberación y conmovidos con una larga historia nacional de pobreza y marginalidad. Pero Camilo no tardaría en advertir también que había un maridaje entre el poder político y la Iglesia, y el propio arzobispo de Bogotá empezó a cerrarle el camino a sus luchas sociales.

Fundó entonces el movimiento Frente Unido como una respuesta al Frente Nacional. Denunció cómo el espíritu antidemocrático de la alianza bipartidista estaba cerrando los horizontes de la sociedad colombiana. Era sociólogo, había estudiado en Lovaina, había mirado a Colombia a la luz de la experiencia de otros países y comprendió que, comparada con la mayoría de los países democráticos, la democracia colombiana era una estafa: de qué modo a los trabajadores, a los pequeños empresarios, a los campesinos, a los estudiantes, aquí se les exigía todo pero no se les daba nada a cambio.

Comprendió también de qué modo el sistema legal colombiano no les brindaba a los ciudadanos garantías mínimas para vivir ni condiciones mínimas para respetar la ley, pero sí sabía caer con todo su peso sobre las infracciones de los pobres y sobre los delitos de los humildes, mientras el Estado entero era en realidad un delito.

Acosado, empezó a padecer la persecución. Vio eso que los viejos políticos llamaban "la alambrada de garantías hostiles" en que se había convertido el mundo oficial en Colombia, el sistema de compadrazgos que sólo permitía vivir si se acolitaba la infamia, que permitía incluso la prosperidad y el éxito si se renunciaba a identificarse con el pueblo y con sus sufrimientos. Tal vez vio también, a la distancia, el horizonte de crímenes, de violencia y de horror en que se despeñaría ese pueblo sin protección estatal, sin justicia y sin esperanzas, y la desesperación lo arrojó en manos de la guerrilla del ELN.

Pero Camilo Torres no era un guerrillero: era un idealista extraviado en la violenta fiesta del mundo. Su suerte fue la misma de José Martí, el poeta cubano, mártir de la lucha por la independencia de su país, que murió en su primer día de combate. El sistema colombiano había arrojado al cura rebelde a la guerra. Se dice que los guerreros que lo recibieron ni siquiera le dieron un arma, sino que le impusieron como condición para el combate conseguir él mismo su arma en el campo de batalla. El luchador valiente pero inexperto pagó con su vida aquella trágica aventura, y el libro de Walter Joe Broderick, *Camilo, el cura guerrillero*, es su memoria y su monumento.

En el tercer gobierno del Frente Nacional, el de Carlos Lleras Restrepo, se fortaleció la oposición de la Alianza Nacional Popular (Anapo), y nuevos grupos guerrilleros anidaron en los campos: ahora estaba también allí la guerrilla maoísta del Ejército Popular de Liberación (EPL). Finalmente, en las últimas elecciones del Frente Nacional, donde resultó elegido Misael Pastrana Borrero, un fraude electoral de última hora contra la Anapo, dirigida por el exdictador Rojas Pinilla, un fraude del que ya nadie duda y que muchos justifican, exasperó a los jóvenes anapistas de la clase media, que decidieron fundar la primera guerrilla urbana de Colombia, el M19.

La vieja Colombia murió el 9 de abril de 1948: la nueva no ha nacido todavía. Todos sabemos que el reloj de la historia se detuvo en ese día aciago y que desde entonces no hemos hecho otra cosa que girar en el torbellino de unas violencias que ya ni siquiera nos atrevemos a llamar guerras, porque al parecer ya no merecen ese nombre. Ya se sabe que la guerra de los Mil Días fue la última guerra que los dueños de Colombia aceptaron llamar así: una guerra con dos ejércitos que se consideraban iguales en derechos, legítimos en sus aspiraciones, dignos de respeto, unos derrotados con los que estuvieran dispuestos a abrazarse los triunfadores.

Y ello significa que la guerra de los Mil Días fue la última guerra en que en los dos bandos estaba la aristocracia, la última guerra en la que combatió la aristocracia, porque después de aquello los dos partidos asumieron prácticamente la misma ideología, con matices que dictaba apenas la oportunidad, y a partir de ese momento la guerra no fue de élites.

Ya hemos visto que la Violencia de los años cincuenta, una de las más escalofriantes guerras nacionales, sólo tuvo como ejecutores a los pobres de ambos partidos que nada tenían que ganar en ella. En adelante, la guerra fue entre fracciones del pueblo fanatizadas por la dirigencia, o entre el Estado y unos insurgentes a los que casi nunca se reconoció la condición de interlocutores, a los que había que exterminar porque no representaban ninguno de los valores que la élite estaba dispuesta a respetar.

Los viejos generales de la guerra de los Mil Días, Benjamín Herrera o Rafael Uribe Uribe, ingresaron en la leyenda nacional, pero después de aquello nunca los guerreros de nuestra historia han vuelto a figurar en leyenda alguna. Porque lo que pasó en el siglo XX colombiano es muy difícil de explicar en términos de guerra convencional.

Los ejércitos nacionales fueron instituidos en todas partes para defender las fronteras, para proteger a todos los ciudadanos de una nación contra sus enemigos externos, en tanto que la policía existe para perseguir en el interior a los delincuentes y a los criminales. ¿A partir de qué momento el ejército nacional, cuya última guerra exterior fue en 1934 contra el Perú, se convirtió en un ejército para combatir nacionales? ¿A partir de qué momento se aceptó de tal modo que había guerras que el ministerio del ramo se llamó por mucho tiempo Ministerio de Guerra, y sin embargo se negó que esas guerras lo fueran para no tener que aceptar a los contendores como interlocutores?

¿Acaso fue ese resabio de legitimidad, esa negativa a aceptar que hubiera alguna validez en los reclamos de los contendores, lo que no permitió que nuestros historiadores llamaran guerra a esa tremenda guerra civil que sacudió al país en los años cincuenta, que recurrieran al eufemismo de llamarla genéricamente "la Violencia", para no tener que reconocer en ella protagonistas políticos, para convertirla en una suerte de maldición bíblica sin causas ni explicaciones, o sin otra explicación que no fueran la maldad de unos seres humanos, la depravación, la locura y la infamia?

En las guerras puede haber héroes, porque hay hombres luchando por causas legítimas, así sean parciales. En las cruzadas sólo puede haber héroes en el lado bueno del conflicto, los otros pertenecen a las avanzadas del mal, no pueden tener historia, ni leyenda, ni justificación, ni grandeza, ni heroísmo, ni tumba, ni memoria.

Aquí, otra vez, como en los tiempos de la Conquista, volvimos a tener un ejército de paladines que representa a la humanidad, al bien, a la moral, a la civilización, y unas hordas salvajes que no merecían ni siquiera la dignidad de un sepelio. Unos asesinaban, los otros daban de baja. Los unos eran buenos aunque mataran, los otros eran malos aunque no lo hicieran. Camilo Torres, que nunca mató a nadie, pertenecía al bando del mal, y los que lo mataron eran los buenos.

Eso puede ocurrir durante breves períodos y la humanidad puede estar dispuesta a aceptarlo. Pero cuando las cosas se prolongan hasta convertirse en hábitos de la historia y de la mente, ¿no vale la pena detenerse un poco y preguntarse cuándo una cruzada contra el mal deja de serlo y se convierte en una política de exterminio?

¿Cuántos tienen que ser los enemigos para llegar a ser considerados un ejército contrario, para dejar de ser considerados una horda de bandidos? ¿Cuántos eran los combatientes de cada bando en la guerra de los Mil Días? La violencia de los años cincuenta produjo en Colombia trescientos mil muertos. ¿Fueron todos víctimas del mal? ¿Fueron todos bandidos y malhechores? ¿Cuándo nos dirán quiénes representaban a la humanidad, la dignidad, la cultura, la civilización? ¿Cuándo podremos llevar al panteón de la patria a los que representaron los altos valores de la sociedad, la defensa de la vida y la dignidad de un territorio?

Y si decidiéramos que esa Violencia de los años cincuenta fue de verdad una guerra civil, ¿cuándo les haremos los honores a los héroes de esos dos bandos que se sacrificaron por unas ideas, aunque fueran equivocadas, que afrontaron los peligros y dieron la vida por representar a uno u otro de los proyectos que se proponían para nuestra historia?

En la guerra contra las guerrillas muchos soldados del ejército nacional han muerto por su patria, y no deberían ser héroes anónimos. Pero también conviene preguntar: ¿cuántos guerrilleros han muerto en los cincuenta años que lleva esta guerra? Alguien debe tener siquiera un tenue balance. ¿A cuántos capturaron y cuántos se desmovilizaron? En suma, ¿cuántos fueron los que se alzaron en armas en ese medio siglo?

Porque si esos insurrectos son mil, o dos mil, o cinco mil, tal vez podamos aceptar que eran una banda de delincuentes; pero si resulta ser, como parecen indicarlo algunas estadísticas oficiales, incluso los informes triunfales de nuestro ejército, que bien podrían ser cincuenta mil, o cien mil, o más, los guerreros que se enfrentaron a este Estado en las últimas décadas, ya cuesta trabajo no mirarlos como un ejército insurgente en una guerra civil, y si no queremos ahogarnos en la irrealidad y en la mentira, tendremos que aceptar que aquí hubo una guerra; que en esa guerra, así como tuvo que haber atrocidades y errores de todos los bandos, también tuvo que haber posiciones, principios, valores, unos héroes siguiendo una causa, y que el discurso reductor y simplificador no nos permitirá jamás reconciliarnos y volver a mirarnos como conciudadanos.

Mientras en el medio país olvidado se extendían los cultivos ilícitos y crecía el poder de los traficantes, en las ciudades
se hacía fuerte la guerrilla del M19. Ésta, que se parecía más
a las guerrillas del sur, a los Montoneros argentinos, a los
Tupamaros uruguayos, durante veinte años llenó de alarma
los titulares de los diarios, y sus líderes, Jaime Báteman, Carlos Pizarro, Antonio Navarro Wolff, Álvaro Fayad, tuvieron
cierta aureola romántica para los jóvenes de las ciudades.

Las viejas guerrillas campesinas no perturbaban la vida de
las ciudades donde ahora estaba la mayoría de los colombianos: el M19 se apoderó simbólicamente de la espada de Simón
Bolívar, robó armas en la propia santabárbara del ejército,
mantuvo como rehén al cuerpo diplomático que asistía a una
fiesta en la embajada de República Dominicana y, finalmente,
se tomó por asalto el Palacio de Justicia en una acción suicida
que produjo no sólo la muerte de todos los rehenes —entre
los que estaba buena parte de la Corte Suprema de Justicia—,
sino también la muerte de los asaltantes.

Pero era mucho más lo que se había gestado en esas dos
décadas de ilusoria reconciliación que se llamaron el Frente
Nacional. La década de los setenta comenzó con cuatro movimientos guerrilleros actuando en el territorio colombiano, con
un deterioro de la seguridad urbana y una creciente tendencia
a recurrir a la represión para acallar los reclamos ciudadanos.
La costumbre de suspender las garantías constitucionales

mediante decretos de estado de sitio se vio agravada por la emisión, durante el gobierno de Julio César Turbay, de un Estatuto de Seguridad que precipitó a las fuerzas armadas en prácticas de violación de derechos, tortura y otras formas de inhumanidad.

El fenómeno de la colonización se había ido extendiendo por los territorios vírgenes. La vieja tierra que había amado y cantado José Eustasio Rivera, a la que el poeta había pedido que se protegiera y se integrara al imaginario nacional, lentamente iba ingresando, por fuera de todo control, en los ciclos de la propiedad y de la economía, y, previsiblemente, en los ciclos de la ilegalidad.

Quizás el hombre cuya labor influyó más en Colombia en las últimas décadas fue Alfonso López Michelsen. Hijo del más famoso presidente de la república, se crió en el medio aristocrático bogotano y se educó en ilustres universidades extranjeras. Pocas personas como él llegaron a tener privilegios, y ya en su juventud fue acusado de haber aprovechado la información confidencial que tenía el gobierno para hacer movimientos económicos en su propio beneficio.

Después de aquel escándalo juvenil, saltó a la vida pública como el más elocuente crítico del Frente Nacional cuando fundó el Movimiento Revolucionario Liberal (MRL), la disidencia rebelde del liberalismo, a finales de los años cincuenta y comienzos de los sesenta, cuyo periódico, *La Calle*, parecía querer dar la voz al pueblo postergado. Pero aunque ese movimiento encendió las últimas luces del liberalismo verdadero en las tinieblas del bipartidismo, y aunque en su seno militaron grandes líderes como Alfonso Barberena, la verdad es que López encarnó como nadie el viejo espíritu aristocrático del liberalismo acomodado.

Le correspondió gobernar a Colombia justo cuando terminaba el Frente Nacional, cuando era preciso acabar con el espíritu excluyente de los partidos, cuando era preciso que la democracia se fundara realmente ampliando el ámbito de las oportunidades, abriendo los horizontes de la participación política, atendiendo a las críticas, reformando todo lo que crujía ya fosilizado por la costumbre, y si el país lo eligió para ser el gobernante de la transición, tuvo que ser porque recordaba las críticas que desde el comienzo había formulado contra el modelo excluyente del bipartidismo, porque recordaba el tono indignado de su discurso y las promesas liberales de su campaña.

Sin embargo, López no cumplió ninguna de las expectativas que el país se había formado con él: el hombre al que le correspondía conducir a la nación por fin a la democracia y a la pluralidad, el hombre que debía llevar a Colombia a un renacer político y social, fue precisamente el que permitió que el modelo politiquero y excluyente del Frente Nacional se prolongara, que el modelo inmovilista y burocrático del Estado se eternizara.

Uno puede entender que Laureano Gómez hubiera sido quien fue: era un hombre recio y terco, forjado desde el comienzo en las fraguas del clericalismo y convencido de que

el modelo estatal que necesitábamos estaba en las páginas de
Tomás de Aquino y en el espíritu militar de la Compañía
de Jesús. Toda la vida fue fiel a sus convicciones, porque tenía
convicciones; fue fiel a su doctrina, porque tenía doctrina,
y de él no podía esperarse otra cosa que esa feroz cruzada
contra todo lo que no fuera la blanca y católica conquista
hispánica de las tierras bárbaras.

Pero López fingía ser otra cosa: fingía ser un liberal.
Había sido condiscípulo de ese gran escritor y pensador que
fue Gore Vidal, había sido formado en el pensamiento del
siglo XX, conocía el resto de la América Latina, había vivido
en México, donde intentó hacer cine, de modo que no podía
ignorar la diferencia entre la reforma liberal mexicana y la
traición al pensamiento liberal de la élite colombiana; era un
intelectual, un escritor, había escrito una novela apreciable
sobre las costumbres de la alta sociedad colombiana, y sobre todo había articulado el discurso de la oposición, de la
rebeldía y de la reforma.

Además, López tenía poder: pertenecía a la élite dirigente,
era un privilegiado y podía tomar iniciativas; poseía además
la capacidad intelectual de argumentar los cambios, talento
para persuadir, y era hijo del más famoso expresidente de la
república, hijo precisamente del hombre que le había quedado
debiendo una revolución democrática a Colombia.

Qué extraño es que cuando le tocó actuar haya renunciado
de un modo tan pleno a todo cambio. Ni la apertura al pluralismo político, ni la reforma agraria, ni la reforma urbana,
ni la desactivación de los conflictos, ni grandes proyectos de
infraestructura, ni grandes emprendimientos industriales, ni

nuevas oportunidades para la gente, ni políticas incluyentes, ni reformas educativas, ni un compromiso verdadero con esa tarea fundamental que era crear empleo y darle al trabajo el reconocimiento que tienen que darle las sociedades modernas, un papel civilizatorio. A cambio de eso todo eran simulaciones y astucias.

Borges dice de alguno de sus personajes que daba la incómoda impresión de ser invertebrado. López parecía acomodarse a todo lo existente: le gustaría reformar el agro, pero ¿perder la amistad de los terratenientes?, modificar la educación, pero ¿perder el saludo de los arzobispos?, darle otra dinámica a la economía, pero ¿tener fricciones con los dueños de los monopolios? Se acomodaba al poder, a los poderes, y a partir de cierto momento su único interés parecía ser garantizar que en Colombia nada cambiara: la misma tarea que cumplían la burocracia obtusa y el modelo educativo repetitivo y acrítico.

Si cumplió algunas tareas importantes a nivel continental, como el apoyo a la causa de Ómar Torrijos de recuperación del canal de Panamá, seguramente lo hizo para quedar bien con Carlos Andrés Pérez y con Gabriel García Márquez. Le tocó administrar una época de bonanza cafetera, pero nada cambió en Colombia por su gobierno, y al contrario, lo que tenía que haber cambiado se atornilló, se herrumbró y se fosilizó en las instituciones.

En cambio, algunos males nuevos se añadieron durante su gobierno a los males que ya nos había dejado el Frente Nacional: allí nació la corrupción, que no era un mal grave en tiempos del Frente Nacional. Uno puede afirmar que los presidentes de la república bipartidista salieron del poder tan pobres como habían llegado; eran mandatarios de unos poderes egoístas y excluyentes, pero no gobernaban en su propio beneficio: a partir de López, la corrupción empezó a hacer carrera. Pero tal vez lo más grave fue el modo como el gobierno cerró los ojos a un fenómeno que comenzaba a crecer.

Se dice que durante la administración de López la mitad del territorio de la Sierra Nevada de Santa Marta fue deforestado y remplazado por cultivos de marihuana. Un fenómeno de economía subterránea crecía en la sociedad, y sería extraño que los gobernantes no lo advirtieran: por algo en esos tiempos se abrió lo que se llamaba entonces "la ventanilla siniestra" del Banco de la República, que compraba divisas a los ciudadanos sin interrogar su origen.

Es posible que nadie pudiera saber en ese entonces la magnitud que tales cosas llegarían a tener en nuestra sociedad, pero elegimos a nuestros gobernantes porque pensamos que entienden más que el resto de la gente lo que está ocurriendo, y tienen muchos más instrumentos que los demás para descifrar lo que pasa. Y en 1974, el año en que López ascendió al poder, ya Colombia sabía qué se estaba moviendo en los aeropuertos, qué estaba pasando en las fronteras, qué llevaban esos tímidos viajeros en sus valijas de doble fondo hacia las Bahamas y hacia los Estados Unidos. Era la época en que Pablo Escobar estaba cambiando el tráfico de cigarrillos y de lápidas de cementerio por otros cargamentos más productivos.

A partir de 1974 no sólo comenzaron enormes procesos de acumulación de riqueza: otros poderes empezaron a crecer en la sociedad. Es posible que López haya pensado que esas nuevas fortunas y esos nuevos sectores sociales le traerían vientos nuevos a la sociedad colombiana, pero no podía ignorar que en el escenario de una sociedad malformada por la exclusión y maltratada por la violencia, toda riqueza despojada de principios y condenada a la ilegalidad es un manantial de violencia y de sangre.

Los soldados norteamericanos habían vuelto de Vietnam necesitados de alucinación y de olvido. El final de la década de los sesenta y el comienzo de la siguiente fueron también la época de la gran renuncia de toda una generación a los paradigmas de la sociedad de consumo. La derrota de Vietnam, las mentiras de Nixon, el pesimismo de los existencialistas, las críticas de Fromm y de Marcuse a la sociedad industrial, las novelas de Aldous Huxley y de George Orwell, la conversión de Los Beatles al pacifismo de las filosofías budistas, las alucinaciones de Lucy entre Siderales Diamantes, las prédicas del retorno a la naturaleza y el escepticismo sobre las promesas de la sociedad opulenta hicieron nacer el hippismo y el culto a las drogas místicas.

Nada repugnó tanto a la buena conciencia de la laboriosa e industriosa sociedad norteamericana como esa retirada de sus jóvenes hacia el ocio, la naturaleza, el amor libre, el éxtasis místico, los alucinógenos y los llamados de la religión natural. La primera gran respuesta de la sociedad industrial ante esa deserción de la fuerza de trabajo fue la prohibición, la gran declaración de guerra contra las drogas lanzada por Richard

Nixon en 1969. Y esa prohibición fortaleció el mercado, exactamente como había ocurrido medio siglo antes, cuando la interdicción del alcohol incrementó en los Estados Unidos su consumo pero además dejó esa industria, que no podía asumir el Estado, en manos de los traficantes.

No tardó una década en aparecer la primera gran multinacional latinoamericana, la multinacional de la cocaína, y si bien todos los países andinos son buenos productores potenciales de hoja de coca, la planta sagrada de los pueblos nativos con cuya pasta se elabora el alcaloide, ningún país tenía como Colombia un potencial de pioneros industriales bloqueado por un modelo infame de exclusión y de privilegios.

Porque con el fin de la guerra los soldados norteamericanos que volvían del infierno traían una enorme necesidad de escapar a las pesadillas de la historia, y una de las ventanas posibles era el consumo de drogas. La marihuana era una vieja costumbre de sibaritas y de bohemios en el continente.

Marihuana fumaba Rubén Darío en sus éxtasis líricos y marihuana fumaba Barba Jacob en sus delirios poéticos. Es más, en sus delirios había forjado su sueño de una cultura continental nutrida de la vieja cultura grecorromana pero también afirmada en el mundo americano, y de ello es testimonio un poema singular, atrevido como todos los suyos, pero lleno de pasión dionisíaca, de hedonismo romano, de sensualismo latino y de amor por la naturaleza:

Mi vaso lleno —el vino del Anáhuac—,
mi esfuerzo vano —estéril mi pasión—,

soy un perdido —soy un marihuano—,
a beber, a danzar al son de mi canción.

El poeta busca afirmarse en una honda tradición cultural, pero también en una mirada sobre sus propios orígenes americanos:

Ciñe el tirso oloroso, tañe el jocundo címbalo.
Una bacante loca y un sátiro afrentoso
conjuntan en mi sangre su frenesí amoroso.

Si éramos hijos de civilizaciones opulentas, nuestro propio mundo no nos había dado más que privación:

Atenas brilla, piensa y esculpe Praxiteles
y la gracia encadena con rosas la pasión.
¡Ah de la vida parva que no nos da sus mieles
sino con cierto ritmo y en cierta proporción!

Una de las constantes de la historia de Colombia es el hecho de que dondequiera que hubo una bonanza económica, una fuente de riqueza, surgió una guerra. Sabemos de las guerras del oro que ensangrentaron el territorio en el siglo XVI; sabemos de la guerra de las perlas de Cumaná y del cabo de la Vela, que hicieron la fama de Nueva Cádiz en Cubagua, de Margarita en Venezuela, de Manaure en La Guajira colombiana.

También desde entonces hubo un territorio de guerras y conflictos en Muzo, en la región de las esmeraldas del Magdalena Medio; hubo guerras por las ciudades de oro nunca halladas del mundo amazónico, por la canela inexistente del río Napo y por las tumbas de oro del Sinú. Ya vimos que hubo una guerra contra los campesinos en las montañas del café. Pero en tiempos más recientes, las guerras de la marihuana y de la cocaína en el país han llegado a ser tan feroces y asombrosas como las guerras antiguas.

La industria nacional, que en Colombia había crecido hasta 1970, desde entonces, a causa del espíritu del bipartidismo, no sólo cerró los caminos a las clases medias emprendedoras, sino que hizo que las grandes industrias empezaran a devorar a las pequeñas en un obsceno y suicida proceso de concentración empresarial.

De modo que las cosas nunca ocurren por casualidad sino porque todas las condiciones están dadas, el agua de las inundaciones encuentra siempre el declive por donde desbordarse, y en Colombia fueron las clases medias y bajas, sin capacidad de influencia en las mil ventanillas del Estado pero con capacidad de iniciativa, y en un contexto de alta capacidad de riesgo, de proclividad a la transgresión, las que aprovecharon los túneles de la historia e inundaron de marihuana y de cocaína el mercado norteamericano, que empezó a consumirlas con avidez.

Los pioneros colombianos se convirtieron en poco tiempo en algunos de los empresarios más ricos del mundo. No era un negocio cualquiera: tenía la curiosa ventaja de no necesitar otra publicidad que la que le daban día y noche los noticieros, convirtiendo la droga en el tema del momento, en el villano más famoso de la época; pero también tenía otra característica sorprendente: no necesitaba llevar el producto a los consumidores finales, eran los consumidores los que estaban dispuestos a buscarlo en cualquier parte.

El resto de esta historia parecería una novela de ficción: la recursividad extraordinaria de los traficantes, la idea que muchos tenían de que no era pecado, y que ni siquiera podía ser delito, distribuir una sustancia que años atrás era prácticamente de libre consumo.

No sólo había sido utilizada por la aristocracia europea y por los magnates de todo el mundo, ya que en una época consumir cocaína era algo tan elegante como consumir rapé, tabaco en polvo, del mismo modo que consumir licores con base de coca era lo más popular en la Francia de los impresionistas, sino que era una sustancia frecuentada por artistas e intelectuales, hasta el punto de que el gran padre de la revolución en la psicología del siglo XX, Sigmund Freud, consumía a menudo el alcaloide en el curso de sus investigaciones.

Con todo, el verdadero peligro de prohibir sustancias como la cocaína y el alcohol consiste en que dejar al Estado por fuera de su producción y de su control no sólo no resuelve el problema de la adicción, sino que abandona el negocio en las peores manos: las de los traficantes, cuyo desprecio por el peligro se ve recompensado con fortunas gigantescas, y las de unos organismos estatales decididos a convertir un problema de salud pública en un asunto policivo o militar de altos presupuestos.

La legislación estadounidense garantiza la libertad de sus ciudadanos y su derecho no sólo a portar armas sino incluso a consumir sustancias peligrosas. Por ello los Estados Unidos asumieron como su deber no tanto penalizar el consumo cuanto perseguir la producción, el tráfico y el mercadeo de las drogas ilícitas: poner el énfasis de la guerra no en los consumidores sino en los productores y los traficantes.

Pero ningún país sabe mejor que los Estados Unidos que no es la producción ni la distribución lo que dinamiza una industria sino el consumo: en vano produciría Latinoamérica e intentaría exportar hojas o raíces que los norteamericanos no estén interesados en consumir. Debían saber de antemano que era una guerra perdida mientras el consumo no se controlara. Sin embargo, el manejo policivo del problema no es más que un modo de descargar la responsabilidad en los productores y no en los consumidores: es apenas la constancia que dejan las autoridades norteamericanas de que están cumpliendo su deber sin hostilizar al ciudadano.

Resulta incluso paradójico que se declarara maligna una milenaria planta sagrada de los Andes y que, al mismo tiempo, la planta industrial de Coca-Cola en Atlanta fuera el más grande comprador legal de hoja de coca. Es asombroso que el más famoso producto de la industria legal en el mundo, y el más famoso producto de la industria ilegal, sean en sus orígenes derivados de la misma planta suramericana. Hasta hubo quien dijo que a ello debía esa bebida su carácter adictivo. Pero aunque los fabricantes afirman que ya han remplazado por otra la sustancia original, o que sólo utilizan sus componentes benéficos, la palabra Coca no desapareció jamás del nombre del producto.

Las canciones populares latinoamericanas ya habían hablado del tema como de una costumbre social antes de que la popularizara la prohibición, y es posible oír, en uno de los tangos más famosos, estos versos:

Te acordás hermano qué tiempos aquellos,
eran otros hombres más hombres los nuestros,
no se conocía coca ni morfina,
los muchachos de antes no usaban gomina.

Recuerdo que cuando en 1982 Belisario Betancur fue elegido presidente de la república, el maestro Estanislao Zuleta me dijo: "Qué gran persona es Belisario, pero me temo que no va a poder hacer nada". "¿Por qué piensas eso?", le pregunté. "Porque sólo cuenta con el cariño de la gente —me contestó—, y el cariño no es una fuerza política".

Belisario era uno de esos viejos conservadores más liberales que los liberales. Intelectual él mismo, amigo de poetas y de pintores, que les celebraba en el palacio de gobierno, en sobrias veladas poéticas, sus cumpleaños a escritores como Álvaro Mutis y Manuel Mejía Vallejo. Era también uno de esos personajes destacados de origen humilde a los que la dirigencia colombiana era capaz de confiar el gobierno, pero que tenían que descubrir por el camino que el poder era de otros.

Cuando ganó las elecciones de 1982, salvando al país de un segundo mandato de López Michelsen, tal vez no ignoraba que Colombia era un semillero de conflictos, que el Frente Nacional le había dejado al país el lastre de cuatro movimientos guerrilleros, que después de López ya se habían desencadenado la corrupción y el narcotráfico, que después de Turbay el Estatuto de Seguridad había inaugurado un nuevo tipo de represión, que si no se desmontaban políticamente esos problemas el país iba a estallar.

Belisario sí lo intentó. No había posado de reformador, pero a la hora de los desafíos intentó las renovaciones. Logró sentarse a la mesa con la guerrilla de las FARC y consiguió con ellos, por primera vez en la historia, un alto el fuego; sus comisionados John Agudelo Ríos y Otto Morales Benítez lograron hacer avanzar los diálogos, así como pactar la creación de un movimiento político, la Unión Patriótica, que recibiría en la legalidad a los guerrilleros que se desmovilizaran con los acuerdos. También consiguió comenzar un diálogo con los guerrilleros del M19. Como presidente, Belisario intentó despertar un fervor nacionalista, estimular el orgullo por el país y por sus regiones, pero los males estaban desatados, y aunque su intento democratizador era sincero, todos los huevos del basilisco estaban tibios en el nido y a punto de reventar.

Había que deshacer nudos centenarios, había que liberar fuerzas sociales, había que contrariar largas costumbres, pero el viejo país no cedía: nadie como Belisario debió de sentir durante su gobierno cuán poderoso era en Colombia el peso fósil de la tradición, cuán difícil hacer que el país formal aceptara reforma alguna, que el país político cediera espacio a otras fuerzas, que el poder militar accediera a que el conflicto fuera manejado como un problema político y no como una cuestión criminal. Estanislao tenía razón: Belisario sólo contaba con el cariño de la gente.

El espíritu inflexible y de cruzado de Laureano Gómez, muerto veinte años atrás, seguía imponiendo restricciones al espíritu liberal; el viejo manto de la Iglesia no dejaba ver que la política no se puede manejar con la doctrina y con el dogma; el viejo poder militar no admitía que el poder civil desarticulara políticamente una guerra: viejos prejuicios y viejos intereses no permitían darles desde el Estado un manejo político y práctico a los problemas judiciales; la negligencia y el inmovilismo del Estado impedían que las regiones se incorporaran a procesos modernos de gestión de recursos y de riesgos.

A Belisario le había tocado entrar en el escenario cuando ya se desencadenaban las furias, y el margen de poder con que contaba no le permitió tomar por su cuenta las decisiones que hacían falta, las más graves decisiones que un gobernante haya tenido que enfrentar en su tiempo.

Otto Morales Benítez declaró un día que había "enemigos ocultos de la paz". Para el presidente era duro aceptar que poderes que debían estar bajo su mando se opusieran a sus decisiones. Gabriel García Márquez le confió a Germán Castro Caycedo que, cuando los traficantes todavía no se habían convertido en terroristas, Pablo Escobar, antes de precipitarse en la locura, le había enviado un mensaje al presidente y que el presidente no lo había querido escuchar. Las guerrillas del M19, que habían estado en diálogos con el gobierno, se tomaron por asalto el Palacio de Justicia; el presidente dejó en manos del ejército el manejo de la situación y no escuchó el llamado del presidente de la Corte Suprema, que le pedía pasar al teléfono desde el corazón del palacio incendiado.

Darío Echandía le había dicho no a la posibilidad de ser el candidato a la presidencia en 1946, le había dicho no a la posibilidad de acompañar al pueblo liberal en las calles el 9 de abril, le había dicho no a la candidatura electoral de 1950. Ese triple *no* de Echandía marcó la suerte del país durante el resto del siglo. Belisario le dijo no a García Márquez sin escuchar siquiera el mensaje de Escobar, le dijo no al presidente de la Corte Suprema que seguramente iba a proponerle negociar con los rebeldes, y no sabemos si les dijo no a quienes le pidieron avanzar con las negociaciones de paz, contrariando a los enemigos ocultos.

Pero ese reiterado *no* de Echandía y de Betancur no significa que esos dos hombres hubieran sido enemigos del diálogo y de las soluciones civilizadas: significa que en los momentos decisivos de su vida comprendieron, seguramente con dolor y sin alternativas, que el poder verdadero no estaba en sus manos. Eran hombres del pueblo descubriendo muy tarde que el pueblo no tenía poder en Colombia.

Tiempo después, otros presidentes se atrevieron a celebrar acuerdos con los traficantes, como los hacen sin descanso los Estados Unidos; otros gobernantes han intentado, y por momentos logrado, llegar a acuerdos de paz con las guerrillas;

otros gobernantes han demostrado que se podían modificar costumbres, romper los nudos gordianos del legalismo, abrir espacios para nuevas fuerzas sociales.

Pero la historia es así; lo que para una generación es una muralla insuperable, para la siguiente es un muro que puede derribar un toque de trompeta; lo que para una época tiene la dureza del mito, para otra bien puede ser no más que una superstición. Y a veces lo que más ha impedido la transformación de Colombia son supersticiones tratadas como mitos indestructibles, dogmas fósiles hechos por fantasmas para que los vivos no puedan vivir.

Los traficantes habían cambiado: al principio se sentían apenas una especie de contrabandistas con suerte, pero estaban viendo llegar a sus manos una riqueza insospechada. Era como si el sésamo de *Las mil y una noches* hubiera abierto sus peñascos y les hubiera mostrado de repente cosas que jamás había alcanzado a codiciar ningún pobre en nuestra república remendada y anémica. Así empezó una época extravagante, donde más que nunca convivieron en Colombia la pobreza más lastimera con la riqueza más ostentosa, donde se cruzaban en las calles el desamparo bíblico con la opulencia indescriptible, pero comenzó también una de las épocas más dramáticas de nuestra historia.

Porque si en todo negocio hay conflictos, hay desacuerdos, gentes que no pagan sus deudas, mercancías que se averían o se extravían, la industria legal y su comercio siempre pueden resolver los desacuerdos y ajustar las cuentas en los

tribunales. Pero un negocio gigantesco que no puede apelar
a la ley para resolver sus conflictos se ve forzado por su propia marginalidad a resolverlos aplicando la justicia por mano
propia, y la ley del talión es poca cosa al lado de los métodos
a que recurren las mafias para resolver eso que don Quijote
llamaba los entuertos y que en la jerga de los parches de las
barriadas colombianas comenzó a llamarse "los torcidos".

En uno de sus relatos, Borges intenta establecer un
contraste entre el humilde ritual del coraje de los malevos
suramericanos, la danza mortal de unos hombres que se
enfrentaban en condiciones de igualdad, lo que él llamaba
"la secta del cuchillo y del coraje", y la confusión y crueldad
de la guerra de las bandas de Nueva York, con forajidos
que merodeaban en las cloacas, "asesinos precoces de diez
y once años", finos aparatos de cobre "para vaciar los ojos
del adversario", hombres capaces "de decapitar una rata
viva de un solo mordisco", riñas de ratas famélicas, envene-
nadores de caballos, y motines que incendiaron las calles y
amenazaron con apoderarse de la ciudad. La historia de las
mafias colombianas nos demostró que no hay diferencias
en la barbarie de nuestros mundos.

También nosotros vimos en otro tiempo la primitiva ferocidad de esos duelos a puñal y a machete, hombres siempre
listos a morir sólo por demostrar que eran valientes. Yo supe
de niño la historia de dos hombres en el norte del Tolima, que
se enfrentaron con largos palos como lanzas hasta que éstos
se redujeron a dos muñones diminutos de madera. Cuando ya
no tenían con qué azotarse, uno de los hombres le propuso al
otro ir a comprar un par de machetes para continuar la fiesta,

y se fueron los dos, casi abrazados sobre el mismo caballo, a buscar las armas para seguir peleando hasta matarse.

Resumir en una página las atrocidades que se han vivido no sólo en Colombia sino en todo el continente con la guerra de las drogas es arriesgarse a construir un infierno más tenebroso y vesánico que el de Dante. Del puñal al balazo, de la asfixia al degüello, de la tortura a la minuciosa depravación, las venganzas de las mafias no sólo incluyen las formas comunes del asesinato, las ráfagas de ametralladora, las decapitaciones y los descuartizamientos, sino la proliferación de masacres ostentosas y llenas de advertencias, para aleccionar por igual a los adversarios y a las sociedades.

Y además de la saga sangrienta, ahí está la novela desquiciada de la riqueza: el hombre que se construye un edificio idéntico al del club de ricos donde no fue recibido, los pisos con tuberías y grifos de oro, los caballos de paso fino más costosos que cuadros de Basquiat o de Picasso, las canecas llenas de billetes de cien dólares escondidas de nuevo en los campos como una reviviscencia de los entierros indios, las haciendas de los capos cuyo símbolo memorable es ese portal donde está la avioneta en que "coronaron" el primer cargamento, la forma como crecieron no sólo las haciendas más lujosas que hubiera visto nadie en Colombia, los pisos más opulentos, sino el modo como en veinte años nuevas ciudades crecieron en las viejas, el modesto parque automotor de los años sesenta y setenta se convirtió en el mismo de las calles de Miami, y un inusitado culto por la riqueza y por el lujo se apoderó no sólo de los traficantes que podían sostenerlo, sino de los sueños de una nueva generación de pobres que ya no estaban resignados a seguirlo siendo.

El país que se menospreciaba porque creía conocerse se volvió de repente desconocido. Un muchacho por las calles de Londres o de Roma suele no ser más que un estudiante, un artista, un periodista o un adolescente cualquiera, pero uno no podía saber en Medellín si ese muchacho rapado y con tatuajes que pasaba sonriente ostentando su diamante en el lóbulo era dueño de una flota de aviones en el Caribe o el asesino que acababa de disparar contra un ministro. Todo empezó a ser rediseñado para el gusto de los nuevos ricos: la música popular, la arquitectura de las barriadas, los cuerpos de las adolescentes, los plazos en la aplicación de las leyes.

La dirigencia arrogante que había despreciado y abandonado a su pueblo, que dejó a generaciones enteras privadas de oportunidades, de horizontes, de educación y de dignidad, empezó a ver que de pronto otro país nacía en el país que antes dominaron sin permitir oposición alguna.

Hubo por supuesto sectores que intentaron oponerse a esa avalancha de costumbres nuevas, de conductas desconocidas, de dinero listo a allanar todos los caminos, de modas, de estilos, de insultos, al nuevo viento rojo que ahora convertía cualquier lugar de las ciudades en escenario de crímenes, que convertía a los antes invisibles muchachos de las barriadas en desesperados verdugos. Pero el fenómeno se había disparado de un modo incontenible, y la vieja dirigencia colombiana que había aprovechado el poder, parasitado a costa de los privilegios y practicado todos los abusos, no parecía tener autoridad moral para descalificar a los nuevos ricos y su nueva moral fundada en eso que llaman el dinero fácil.

El país comprendió que por primera vez en mucho tiempo algo distinto estaba ocurriendo. Fue por entonces, a mediados de los años ochenta, cuando los colombianos empezaron a cambiar el culto del dolor resignado, del Sagrado Corazón de Jesús, por el culto de la esperanza, en la imagen del Divino Niño. El viento que llegaba no era solamente el del tráfico de drogas, eran conductas que el Estado había tolerado, que la vieja élite había permitido, pero que no habían sido predicadas jamás ni exhibidas de una manera tan desafiante y tan ostentosa.

La primera generación de traficantes tenía muchas deudas que cobrarle a esa Colombia excluyente que la había engendrado: quiso ser recibida en los círculos sociales, pero la vieja casta la rechazó; quiso ser aceptada en los círculos del poder, pero la dirigencia política cerró filas contra ella. El país había sido tan cerrado a toda promoción social, que la "gente bien" detectaba por el rostro si una persona tenía derecho a tener el carro que tenía, a vivir en el piso en que vivía, incluso a usar la ropa que usaba, o si esas cosas que en cualquier país moderno suelen ser derechos de todos los ciudadanos delataban un origen oscuro.

Tal vez fue por el hecho de que la élite colombiana fuera tan cerrada y estuviera tan unida por lazos de parentesco y de compadrazgo, por el hecho de que fuera tan fácil advertir quién tenía dinero por razones distintas de la tradición y los privilegios, por lo que la nueva clase social sintió de repente tanto odio hacia el viejo poder, que cerraba todas las oportunidades de riqueza pero podía detectar en el acto quiénes se habían salido del libreto. Quizás fue eso lo que despertó el rencor de los traficantes hacia el país formal y sus instituciones.

Muchos viejos dueños de la tierra les vendieron sus propiedades, y el poder del dinero iba abriéndoles camino, como suele ocurrir en todos los países donde los contrabandistas y las mafias acumulan riquezas, pero a los traficantes en Colombia no les resultaba fácil pasar inadvertidos: aquí la vieja élite, con sus costumbres excluyentes, tenía un infalible detector de "igualados". Y cuando intentaron entrar en la política, donde no se los rechazaba por ricos ni por delincuentes sino por no pertenecer a los viejos círculos del poder y de sus comparsas, comprendieron que aunque tuvieran todo el dinero seguían perteneciendo al orden de los perdedores.

Tal vez fue eso lo que los precipitó en el terrorismo y en el intento de refundar el país. Es posible que hasta estuvieran dispuestos a pagar sus penas en Colombia, como decían, a pagar la deuda externa, como alguna vez incluso propusieron, a legalizar sus fortunas, pero no dejaron de ver que la élite, nutrida sobre todo del espíritu aristocrático de la capital, estaba dispuesta a tener negocios con ellos pero no a considerarlos sus iguales, y eso enloqueció a algunos.

Mucha gente se pregunta por qué un hombre como Pablo Escobar, dueño de una fortuna que lo hizo figurar por momentos en la revista *Forbes* como uno de los hombres más ricos del planeta, no aprovechó esa riqueza para dedicarse a vivir tranquilo, con todos sus parientes y sus compadres, y más bien se lanzó a una guerra salvaje contra todo el mundo, más allá de lo que le imponían su negocio tortuoso y la justicia privada propia de su industria.

Lo cierto es que de repente las barriadas de las ciudades se llenaron de jóvenes valientes, despojados, arriesgados y sin ley, dispuestos a cualquier cosa por llevar por primera vez una nevera a sus madres en esas casas indigentes de las lomas donde se cansa el viento. ¿Cómo culpar a los que se hicieron ilusiones si fue la primera vez en su historia que muchos pobres vieron una luz en el muro ciego de sus destinos condenados?

Ya Fernando Vallejo nos ha contado en *La virgen de los sicarios* el clima moral que se impuso en Colombia cuando una generación de empresarios resentidos encontró la manera de enriquecerse al margen de la ley, y consiguió no sólo comprar a los jóvenes para que se convirtieran en verdugos, sino imponer sobre la sociedad su chantaje, proponer a jueces y policías, a coroneles y políticos, a gobernantes y periodistas, el dilema tenaz de colaborar o morir.

Los viejos poderes intentaron poner su grito en el cielo al ver que las mafias convertían a los jóvenes de las barriadas, a los hijos de la violencia y del desprecio, en sicarios; al ver que comenzaban otra vez a expulsar a los campesinos. Sin embargo, era la misma vieja aristocracia la que les había enseñado sus métodos: de qué manera un sector social puede apropiarse de la tierra, expulsar a los campesinos, eternizarse en la política, y continuar dictando la ley como si nada, exigiendo respeto al resto de la sociedad.

La guerra de los Mil Días fue el sombrío recuerdo que alimentó la Violencia de los años cincuenta, y la Violencia de los años cincuenta fue el horno donde se gestó la Violencia de los años noventa; el Frente Nacional de los años sesenta fue el surco donde germinó la tragedia de las últimas décadas; el desplazamiento de campesinos a mediados de siglo fue el modelo del desplazamiento de los años noventa, en un país que gira en la noria de sus viejos horrores sin oponerles nunca un proyecto civilizador.

No sólo fue la época en que se ponían bombas en los centros comerciales, en que se hacía estallar en el aire un avión de pasajeros, en que eran asesinados en una sola campaña electoral cuatro candidatos a la presidencia, en que se podía matar a todo un partido político en las calles: una vez más, a finales del siglo XX y a comienzos del XXI, cientos de miles de personas fueron asesinadas, millones de hectáreas arrebatadas y millones de personas arrojadas a las ciudades, para que el nuevo siglo viera también cómo en Colombia sólo se hacen reformas agrarias para agravar la injusticia, para seguir cerrando el cerco de la exclusión y del despojo.

Y hay que decir que bastó que se hicieran tan ricos como los viejos dueños del país, para que se volvieran tan crueles y tan insensibles como ellos. Lo único que no abandonaron fueron sus viejos gustos suburbanos y campesinos, aunque carentes ya de la sinceridad y de la sensibilidad de las gentes sencillas y deformados por la ostentación; así podemos en-

tender muchas de las músicas que desde entonces llenaron
a Colombia.

Después de Belisario, el país cayó en manos de la desmemoria. Durante su gobierno las mafias se lanzaron al terrorismo, y las guerrillas endurecidas por treinta años de guerra
una vez más se hundieron en la desconfianza: las fuerzas
enemigas de la paz habían optado, no ya por exterminar a
los guerreros desmovilizados, sino por anticiparse, extermi-
nando al partido político que había sido creado para que se
produjeran esas desmovilizaciones.

Es posible que hayan obrado así no tanto, como decían,
para castigar a los civiles que tenían alguna simpatía por las
guerrillas, sino para convencer a éstas de que no había lugar
para ellas en la legalidad, de que debían persistir en la guerra.
Lo cierto es que en el gobierno de Virgilio Barco, un gobierno
que representaba bien cuán desentendida de la historia estaba ya la dirigencia nacional, y cómo el país estaba en poder
de las furias, un nuevo fenómeno de pérdida de poder de la
institucionalidad se apoderó de Colombia: el paramilitarismo.

Cincuenta años no suele ser el tiempo que tarda en hacerse una revolución: suele ser más bien el tiempo que tarda
en deshacerse. Fidel Castro había ganado su guerra en cinco
años, Mao Tse-Tung en China la había ganado en veinte: medio siglo es mucho tiempo, y convierte a todos los ejércitos,
por romántico que sea su origen, en hábitos de ferocidad e
insensibilidad.

Y en una sociedad que se niega a ver a los combatientes como iguales; donde se niega que haya guerra, donde unos mueren asesinados y otros mueren dados de baja, donde los soldados pobres son sacrificados como patriotas y los rebeldes pobres son sacrificados como monstruos, no hay manera de exigirles a los enemigos que se comporten como héroes homéricos. Y en la dureza del campo colombiano sólo la gente humilde de todos los bandos consigue combatir.

Para financiar una guerra contra todo un Estado, las guerrillas recurrían al secuestro y a la extorsión, y no podían dejar de acercarse al gran negocio de la época: la protección de los cultivos ilícitos, el cobro de impuestos sobre el gramaje de hoja de coca, el negocio mismo de la droga. Pero es evidente que traficar es una especialidad, librar una guerra contra el Estado es otra, y serán muy pocos los que pueden darse el lujo de practicar ambas.

Quizá nada les conviene tanto a las mafias como que el Estado esté ocupado en una guerra antiinsurgente. Es difícil concebir mayor ganancia de pescadores que el río revuelto de estas guerras sin rumbo, guerras de desgaste y de exasperación, infinitamente mortificantes para los campesinos que las padecen, infinitamente dolorosas para el pueblo que las vive, desgastadoras para la sociedad que las financia, y que década tras década confirman la confrontación sin horizontes de una sociedad escindida, la parálisis a la que condenan a un país.

El dinero de las mafias está allí para tratar de financiar a todos los ejércitos, y una de las cosas que más vive bajo amenaza en estas guerras es la legitimidad de las instituciones. Ya la vieja clase dirigente colombiana había avanzado mucho por el camino de desnaturalizar la democracia con sus privilegios y sus exclusiones, con su corrupción y su ceguera, pero todavía faltaba que las nuevas riquezas, que ya superaban las de la vieja plutocracia, decidieran arrebatar lo que quedaba de la vieja propiedad campesina, apropiarse del territorio baldío, lanzarse a la compra de la ley, tomarse los cargos de la administración, poner al Estado a su servicio y apoderarse de un botín mayor que el de los cargamentos de droga: el botín del tesoro público.

En 1989 se desplomaron la Unión Soviética y el campo socialista. En 1989 cayó el muro de Berlín. En 1990 el M19 entregó las armas y volvió a la legalidad. En 1990 fue convocada en Colombia una Asamblea Nacional Constituyente. En 1991 fue proclamada una nueva Constitución. Parecía que el país había conjurado sus males y sus guerras, que una nueva legalidad se abría camino, que otro país emergía de las cenizas del Palacio de Justicia, de la masacre de la Unión Patriótica, de las bombas en los supermercados, de la reinserción de las guerrillas urbanas. Pero, una vez más, muchas cosas habían quedado por fuera del pacto nacional.

César Gaviria echó a volar la frase adecuada, según la vieja tradición del país de las palabras ilustres: "Bienvenidos al futuro", y bombardeó a las guerrillas con las que hasta el día anterior había estado dialogando. En 1992 Pablo Escobar aceptó entregarse a la justicia y fue recluido en una cárcel especialmente construida por él mismo. Poco después escapó. En 1993 fue abaleado en los tejados de Medellín, como bien lo narra el cuadro, de la estirpe de las láminas populares, que pintó Fernando Botero.

En 1989 se había roto el pacto cafetero. La economía del café, que había sido la base de nuestra estabilidad durante un siglo, fue la última víctima de la guerra de Vietnam. Los Estados Unidos, comprometidos a reconstruir aquel país que había sido devastado por ellos, decidieron favorecer el café vietnamita, y para ello sacrificaron sin vacilar a su más viejo amigo continental. Si apenas comenzado el siglo XX la Estrella del Norte se había llevado a Panamá, antes de que el siglo terminara se llevó el negocio del café para otra parte. Sólo siguió comprando cocaína.

Pero Gaviria quería seguir siendo el mejor aliado de ese gran país. Una vez esfumado el modelo soviético y pregonado por los áulicos de la modernidad el fin de la historia, la estrategia era avanzar con el proceso de internacionalización de la economía, ofrecida abiertamente a todo el mundo. Sin embargo, en los países donde nunca se alcanzó un equilibrio coherente de las fuerzas productivas, y más en éste, donde nunca se abrió paso el liberalismo, era una locura pensar que pudiera darse la justicia espontánea del mercado: la consecuencia inevitable sería desmontar dramáticamente la producción local para abrirse a los productos de la gran industria mundial, y reducirnos al papel subalterno de aportar las materias primas.

Sólo faltaba esa frase, "La apertura económica", en la lista de palabras clamorosas de *Los funerales de la Mamá Grande*. La amnesia o la mala fe de nuestros políticos ocultaba que ese proceso se había vivido ya en Colombia otras veces, y que ya otras veces había arruinado la industria, destruido el trabajo, arrasado valores y símbolos. Basta leer la carta que Miguel Samper envió a José Leocadio Camacho en 1867, donde dice:

"Si en nuestro país se hubiera alentado y protegido la industria, estimulado a los que a ella se dedican, no se habría alimentado el monstruo de la empleomanía, que es el que lentamente nos devora. Los pueblos en donde las artes han sido protegidas han llegado a un grado tan eminente de prosperidad, que se han captado el respeto y la admiración de las naciones, no solamente por su riqueza y preponderancia, sino por su fuerza material…".

"Las fábricas de cristal, papel y paños han decaído en Bogotá porque el espíritu de extranjerismo ha hecho que se tenga asco por esas producciones. Si esa misma antipatía hubiera tenido la Francia por las suyas, hoy sería un país político, como el nuestro, pero esclavo de Inglaterra o los Estados Unidos".

No es que los procesos de apertura de mercados sean necesariamente dañinos y negativos: es que para incorporarse a ellos, para entrar en competencia con economías más fuertes y más coherentes, se impone un proceso riguroso y minucioso de preparación, no sólo técnica sino cultural y jurídica, porque se corre el riesgo de sacrificar a ciegas a grandes y frágiles sectores sociales por la mera novelería de una modernidad fragmentaria, que apenas beneficie a unos cuantos. Hay que ser esencialmente frívolos para sacrificar los contados frutos colectivos de un esfuerzo de muchas décadas, las largas acumulaciones del trabajo social, por ingresar alegremente en el club de los negocios finos.

Más grave aún es suponer que se puede ingresar con provecho en un orden internacional de competencia y reciprocidad sin haber enfrentado los tremendos escollos de la exclusión, un modelo de privilegios donde sólo unos cuantos pueden beneficiarse del orden económico porque tienen ya los recursos, conocen los mecanismos tramposos de la burocracia y saben manipular a su antojo las leyes.

Resulta asombroso que los teóricos de la apertura económica y de los tratados de libre comercio se empeñen en desconocer la aberración de un modelo que le ha cerrado los caminos a la iniciativa social, que no adviertan ni intenten cambiar primero el estilo de una sociedad injusta, habituada a la violencia y a los métodos venales, que condena a las mayorías y cierra el paso a todo el que quiera competir legalmente.

Es el problema de manejar la economía examinando en abstracto las teorías y negándose a ver la realidad en que deben aplicarse. Las doctrinas, que pueden ser admirables en su esquema abstracto, hay que aplicarlas en sociedades reales, y aquí la persistente negación del país que somos, de su naturaleza, de su gente y de su historia, hizo que siglo a siglo nos empeñáramos en aplicar recetas que nos enviaban los grandes poderes del mundo, infalibles porque ya las habían puesto a prueba en Francia y en Estados Unidos, pero mortales si no procurábamos cumplir primero con las premisas de la democracia verdadera.

La receta de la apertura económica no era nueva: era una fórmula que cíclicamente se nos propuso y que muchos gobiernos intentaron aplicar a lo largo del tiempo; ya era la prédica de la economía en el siglo XIX y ya había postrado a otras generaciones. Sólo la desmemoria de los dirigentes volvía a hacerla novedosa a sus ojos. Si conociera mejor la historia nacional, Gaviria habría podido decir en su discurso: "Bienvenidos al pasado".

Cuando España se preparaba para ingresar en la Unión Europea, tuvo que discutir los intercambios renglón por renglón y tonelaje por tonelaje, para que esa oportunidad histórica no significara un colapso. Pero nosotros no estábamos ingresando en una alianza semejante, que le brindaría a España durante décadas ese ingreso europeo que le permitió rehacer su red vial, reconstruir su infraestructura, modernizar sus equipos, y aun así acabó pasándole una factura grande por los gastos alegres del nuevo vecindario.

Aquí se empezó por desmontar la agricultura, pues no había cómo competir con los productos agrícolas norteamericanos; siguieron, por la misma razón, desmantelando buena parte de la industria tradicional. No sólo se acabó el cultivo de algodón sino la industria textil. La economía colombiana empezó a ser entregada sin protección, sin ninguna adecuación, a la libre competencia del mercado mundial. El gran empresariado no vaciló en enajenar algunas de las empresas más emblemáticas de nuestra historia. Y como se sabe, lo primero que se sacrificó, y alegremente, fue el trabajo.

No sería lo único. Quince años después ya no existían la Caja de Crédito Agrario, ni el Banco Central Hipotecario, ni el Instituto de Fomento Industrial, ni el Instituto de Mercadeo Agropecuario, entidades que habían sido parte esencial de la economía del país, y que parecían formar parte del entorno afectivo y familiar de los colombianos: las pocas instituciones valiosas de la república bipartidista.

Sería de esperar que pasados veinte años pudiéramos apreciar las ventajas del modelo que desde entonces se instaló entre nosotros: deberíamos estar viendo la productividad, el empleo, la infraestructura, las vías, los puentes, los puertos, el progreso de las regiones, todo lo que iba a florecer con la llegada del mundo, todo lo que iba a desplegarse de nuestro propio ser, en la celebración de esa alianza nueva con los poderes planetarios.

> *No se oye nada,*
> *silencio y bruma, soplos de lo arcano,*
> *la luz mentira, la canción mentira.*

Ya se sabe que el oficio de nuestros gobiernos es imponernos un día las grandes soluciones, y pasarse el resto de su vida tratando de explicarnos por qué no funcionaron, buscando a quién culpar por su aplicación defectuosa.

Ernesto Samper llegó al poder en 1994 con la intención de "ponerle corazón a la apertura". Nunca supimos si se proponía de verdad hacerlo ni si habría podido lograr ese objetivo, porque desde su llegada a la presidencia tuvo que dedicar cada día a defenderse de las acusaciones de haber recibido dineros ilícitos para su campaña presidencial. Era algo que les había ocurrido sin duda a todos los presidentes, pero que le hubiera sucedido a éste es algo que preocupó mucho a los Estados Unidos, hasta el punto de que, siendo presidente, le cancelaron su visado para entrar en territorio norteamericano.

Y esta ya es una historia que han vivido las nuevas generaciones. A finales del siglo XX, Colombia vivió una nueva guerra. Las guerrillas habían crecido y se habían extendido por todo el territorio. Su práctica del secuestro las llevó a entrar en conflicto con los narcotraficantes, pero éstos respondieron armando grupos de autodefensa que empezaron a actuar también como contraguerrillas, y pronto se aliaron en ciertos sitios con miembros de las Fuerzas Armadas para hacer lo que llamaron autodefensas campesinas.

Parecía una guerra del Estado y de los paramilitares contra la guerrilla, y se fortaleció cuando Andrés Pastrana despejó militarmente varios municipios para intentar hacer avanzar un nuevo proceso de paz. Incluso el auge del paramilitarismo parecía nacer de la oposición a esa zona de distensión. Pero más bien se configuró como una nueva guerra contra los campesinos, con atrocidades de todos los bandos.

De repente no estaban ya solamente el ejército y las guerrillas en el campo de batalla: desde finales de los ochenta y a lo largo de la década siguiente el paramilitarismo creció por el país, y con él una fase particularmente atroz del conflicto. No había pueblo donde no se cobrara a la gente por la nueva seguridad. La justicia privada se convirtió en un negocio descomunal, y la muerte volvió a recorrer el territorio.

En el reciente informe del Centro de Memoria Histórica se afirma que hubo en veinte años en Colombia otra vez doscientos mil muertos. Lo más estremecedor es saber que la inmensa mayoría de esas víctimas fueron civiles, que de nuevo en esta guerra no hubo batallas sino ejecuciones, que fue el pueblo, y sobre todo el pueblo campesino, quien padeció otra vez la peste cíclica.

Vino después la cíclica desmovilización, y la mejor prueba de que los paramilitares eran un ejército a órdenes de un sector de la dirigencia es que fue muy fácil que Álvaro Uribe Vélez dialogara con ellos, y que se desmovilizaran sin devolver una sola hectárea.

Lo que no consigue ver el mundo es que el drama de Colombia, a comienzos del siglo XXI, sigue siendo el mismo de principios del siglo XX: la ausencia del pueblo en el relato de la nación. En vano buscará un viajero los grandes monumentos a José María Melo y a Manuel Murillo Toro, a las hazañas geográficas y a los sueños políticos de Jorge Isaacs, al grito implacable de José María Vargas Vila, al "¡No!" clamoroso de Porfirio Barba Jacob, a las luchas de María Cano y de Manuel Quintín Lame, al viaje abnegado y lúcido de José Eustasio Rivera, a la lealtad con que Guadalupe Salcedo y la Unión Patriótica cumplieron sus compromisos y dieron la vida por ellos, a las luchas de Alfonso Barberena por la vivienda del pueblo. Es más, no hay en Bogotá un solo homenaje a Aurelio Arturo y hay más monumentos a la saga de García Márquez en México, en Francia o en Rusia que en Colombia. Aquí sólo Gaitán sigue lanzando su grito insonoro en las pequeñas plazas de los pobres.

Pero es claro que no se trata de monumentos. En vano buscará también un viajero la biblioteca clásica de los autores colombianos, como la tienen todos los países, como la renuevan cíclicamente todos los países. Aquí la intentaron alguna vez: la intentó la hermosa Biblioteca Aldeana de Daniel Samper Ortega, la intentó la Biblioteca de la Presidencia de la República en el año 1955; pero sobre todo lo que no encontraremos es la continuidad de un proyecto de valoración y de difusión de esas obras. Y si tenemos unas cuantas obras del gran arte mundial, es sólo porque el talento de Fernando Botero las obtuvo y su generosidad se las donó al país en las últimas décadas.

Las grandes cosas por la gente no las hace el Estado, las hacen los particulares que lograron abrirse camino a pesar de la persistente adversidad. Porque hay que decir que en el mundo oficial, en forma creciente, es tanta la insolidaridad, que ni siquiera los gobiernos de la élite tienen ya proyectos compartidos, sino que cada uno llega a acabar con los proyectos de quienes lo precedieron. En todas las instancias del poder, y de una manera dramática a nivel local y regional, cada administración que llega es como un vendaval que busca arrasar lo que se hizo, recomenzar de cero, y a menudo no es posible siquiera el empalme entre el gobierno que se va y el que llega.

Ello puede indicarnos a qué nivel de desmemoria y de improvisación han llegado las instituciones en manos de una dirigencia que abdicó de la historia, que no siente el llamado de la tierra, la grandeza de una tradición, la necesidad de símbolos compartidos. Pero también nos indica hasta qué

punto el país es ahora un sueño a la deriva, del que parasitan
con sus viejas frases ampulosas y sus grandes énfasis los ca-
zadores de votos, sin que nadie proponga un proyecto digno
de nación, una causa compartida.

Proponer un país exige rigor y responsabilidad, no es
tarea para el que quiere seducir por cuatro años o por ocho
a un electorado, es algo que requiere esfuerzo colectivo, pensamiento, voluntad y compromiso. Exige estar por encima
de los apetitos, y el Estado es el botín de quienes buscan a
veces los recursos y a veces el poder, la embriaguez de decidir
por los otros.

Eso no significa que no haya quien luche desinteresada-
mente por la memoria de Colombia y por sus sueños: la asombrosa verdad es que los esfuerzos abundan, pero padecen el
mal que padece el país: son invisibles. Perlas dispersas a las que
ningún hilo ha logrado convertir en collar, por todas partes
están los esfuerzos generosos de la comunidad, afrontando
la adversidad, bajo la ceguera de un mundo político cada vez
más rapaz y más vano.

Un país lleno de talentos, de recursos, de fuerza y de riquezas naturales y humanas, va a la deriva en manos de poderes
que desperdician su momento, que no consiguen, aunque
a veces lo intenten, formular un rumbo, porque carecen de
lo fundamental, de un lenguaje para hablar con la gente,
de respeto profundo por ese pueblo tan largamente despo-
jado, condenado a la dispersión y al silencio.

Hace tiempo ya que Colombia, tras un sueño intranquilo, despertó transformada en algo desconocido, y es verdad que por un instante quisieron convencerla de que se había convertido en algo monstruoso. Pero hay que decir que todo lo que nos ha ocurrido en los últimos tiempos: la delincuencia, la guerrilla, el narcotráfico, la angustia, la incertidumbre, el desconcierto, son en realidad señales de que la vieja dirigencia perdió su control de la realidad, perdió su lugar en el mundo y condenó al país al crimen, a la perversidad y a la locura. Y Estanislao Zuleta, el gran maestro de nuestro tiempo, solía repetir: "El crimen es falta de patria para la acción, la perversidad es falta de patria para el deseo, la locura es falta de patria para la imaginación".

El orden actual es un molde en el que ya no cabe este país desbordante, múltiple, con una naturaleza que exige ser descubierta, una riqueza que requiere ser expresada, tantas tareas que es urgente emprender. El país se demora en el umbral de su reinvención, contenido todavía por el influjo maléfico de una casta que quiere seguir siendo dueña de los recursos y las decisiones, e intérprete de todas las realidades, cuando ya ni siquiera consigue entenderse consigo misma. Porque tuvo su oportunidad y la perdió por mezquindad y por egoísmo: y el país ha pagado varias veces con sangre y con lágrimas el fracaso de su dirigencia.

Tenemos que escapar de este esquema de país donde una casta oprobiosa trató siempre a su pueblo como intruso, y construyó una tierra de nadie donde ni siquiera ella podía vivir tranquila. Donde no se puede perder de vista el equipaje un solo instante, donde el momentáneo extravío de un niño produce una angustia indecible, donde si alguien no se reporta en varias horas hay que empezar a temer lo peor, donde para que una persona indígena o negra sea apreciada por el poder tiene que realizar las mayores hazañas imaginables, donde los bordes de cada carretera son un peligro mortal, donde muchos piensan que confiar en los demás es arriesgarse.

¿Es tarde ya para construir una patria? ¿Es acaso nadar contra la corriente, ir en contravía de la historia, pensar en los campesinos colombianos, en los obreros, pensar en un conocimiento que se parezca a nosotros, en una ingeniería que se parezca a estas tierras, en una arquitectura que se parezca a estos climas?

¿Es posible una manera de habitar el territorio que no deje que se repita la aterradora catástrofe de Armero, donde veinticinco mil personas murieron en una sola noche porque ignoraban, como dice Gustavo Wilches, que los ríos que nacen de las aguas del deshielo de las montañas no son sólo el Rin y el Danubio sino también el pequeño río Lagunilla, que pasaba manso y frío junto al pueblo de la llanura, pero de pronto en noviembre de 1985 bajó por los cañones convertido en una muralla de lodo hirviente, de troncos y de rocas enormes, y al abrirse en el valle trituró y arrastró al poblado con sus vivos y sus muertos, y mostró a los que sobrevolaron la región al día siguiente una llanura de lodo y de huesos?

Dejamos que volvieran invisible al país, su cultura y su gente. Después les fue fácil manejar el territorio como si no estuviéramos, como si no habitaran este suelo más que unos cuantos caballeros de industria, unos dueños de la tierra, unos políticos y unos medios de comunicación; la Colombia que sale en las páginas sociales de las revistas.

Consiguieron incluso que el mundo no viera a los muertos, que no viera el horror, que el río de sangre fluyera en silencio. Y hemos dejado que el debate público se reduzca de tal manera, que hoy en los medios sólo se habla del Código Penal: no hay otro tema que quién se va a la cárcel, quién ha delinquido, quién ha robado más, pero ya nadie habla de cómo impedir el delito, de cómo redimir a la historia, de cómo impedir que la cárcel sea el único argumento de la justicia.

Fuera de unos lujosos centros comerciales y de unos barrios residenciales, por todas partes vemos un país profanado, un suelo degradado, ríos envenenados, casas fantasmas otra vez en los campos, una comunidad destituida como siempre de su posibilidad de ser protagonista y dueña de su destino. Y el país se ha hundido de tal manera en la ilegalidad, que ya empezamos a sentir que lo que es ilegal es la ley misma. ¿Qué decir de las cifras más recientes, según las cuales en menos de un año ya han capturado a más de 25.000 menores delincuentes, y de ellos 400 acusados de homicidio?

Los procesos que se acumulan en los tribunales no alcanzarán a ser evacuados en treinta o cuarenta años, o sea, que tenemos que concluir que paradójicamente la ley no tiene soluciones jurídicas; y sin embargo las cárceles están llenas, más aún, están saturadas; el hacinamiento en ellas es inhumano. Nadie sabrá decir si los que las ocupan son quienes debieran ocuparlas, porque posiblemente hay más culpables en las calles que en las cárceles. Pero ya lo que estamos viviendo no es un problema de culpas: es algo más profundo y más sutil a la vez. Y las soluciones no son jurídicas en casi ningún caso. ¿De dónde sacar una nueva legitimidad que nos convierta en protagonistas de nuestra historia y no en reos de culpas antiguas, forzados a la ilegalidad por un Estado delincuente?

Colombia tendrá que emprender una reparación profunda, tendrá que brindar a tantos seres destruidos por la falta de oportunidades la posibilidad de un nuevo comienzo. Es comprensible que en Suiza castiguen severamente al que comete un robo, porque si roba en Suiza roba por capricho; pero para que la gente no robe, habría que brindarle primero trabajo, educación y dignidad. Si este Estado nuestro fuera en verdad legítimo, podría seguirnos cobrando todas nuestras cuentas, pero ahora necesitamos nuevos espacios de legalidad, y ello implica también un nuevo rigor.

¿Para qué demorarse en el examen de lo que pasó en los últimos quince años, si todavía estamos inmersos en su turbulencia? Lo único que ha ocurrido es la confirmación de los viejos vicios de la élite colombiana y de los que ahora aspiran con sus mismos métodos a remplazarla: arrebatar tierras, hacer la guerra eterna, encontrar un culpable adecuado para todos los males, disputar el poder sin descanso, descalificar a los adversarios, hablar del país sólo en términos inquisitoriales, sin grandeza y sin sueños, sin convocar nuevos protagonistas, otros talentos, otras soluciones.

Tenemos que olvidar el viejo error de pensar que unos cuantos elegidos se encargarán de transformar el país y salvarnos de la adversidad. Colombia necesita un pueblo entero comprometido en su transformación. Necesita creer profundamente que el poder no está en una silla lejos del mundo, que el poder está en cada lugar. Que hoy sólo es posible construir una economía pensando en el lugar, una economía cuya prioridad no sea lo que compran los Estados Unidos o Europa, sino lo que producen y consumen los hijos de Colombia. Cuya prioridad no sea cuánto cuesta un producto en el mercado mundial, sino cuánto trabajo crea al producirlo aquí, cuántos brazos emplea, cuánta estabilidad social nos brinda.

Aquí hay sabidurías milenarias. Aquí hubo amor por esta tierra desde siempre. Nos hemos deleitado recordando esas canciones, esos libros, esas obras de arte. Nos hemos conmovido recordando cómo hubo un tiempo en que todo parecía empezar, en que el final de una guerra nos dejó jóvenes y alegres, soñando un país posible. Acaso el final de esta guerra sea por fin el comienzo de ese país nuevo que tanto hemos esperado. Las jóvenes generaciones tienen que empeñarse en que eso ocurra, porque Colombia no puede perder otros cincuenta años en una guerra estéril, y trágicamente es verdad lo que dijo García Márquez: que los seres humanos, las estirpes condenadas a cien años de soledad, no tendrán "una segunda oportunidad sobre la Tierra".

Colombia ya no está bajo el control de la vieja élite. Ella finge tenerlo todavía y dominarlo, pero sólo está en condiciones de venderlo al mejor postor, y nosotros no nos dejaremos vender. Y los nuevos poderes que se disputan el Estado no han sido capaces de articular un discurso con el que puedan construir un país grande, un país verdadero. Construir el país que Colombia es capaz de ser, inventar y desplegar la vida generosa que todo colombiano merece, esos son los deberes de la Franja Amarilla.

Hace más de medio siglo, Guillermo Buitrago cantaba:

Yo quiero pegar un grito y no me dejan,
yo quiero pegar un grito vagabundo.

Siguiendo el ejemplo de Fernando Vallejo, cada colombiano tiene que decir su verdad. Y sólo cuando toda verdad pueda ser dicha, cuando dejemos de estar encerrados en la verdad ajena, aprenderemos otra vez a polemizar sin matarnos, y le habremos dado su sentido al grito musical de Emiliano Zuleta que recorre a Colombia hace setenta años y que le da su nombre a este libro.

Algo está cambiando en Colombia. Después de siglos de repeticiones, donde una cultura, un pueblo y un territorio fueron persistentemente borrados y ninguneados por poderes arrogantes, una realidad enorme está emergiendo, un pueblo desconocido está descubriendo su propia existencia, un territorio está brotando a la luz. Tarde o temprano lo que era guerra aprenderá a ser diálogo, lo que era violencia aprenderá a ser exigencia y reclamo, lo que era silencio podrá convertirse en relato.

Y cuando cada colombiano tenga un lugar digno en un país que hasta ahora se han repartido unos cuantos negociantes, unos cuantos conquistadores; cuando sea capaz de ponerles freno severo a la codicia y a la barbarie, de aprovechar su tesoro de aguas y de árboles, de climas y de memorias, podremos construir, como quería Aurelio Arturo, una morada, un espacio para la vida y para la amistad:

Casa grande, blanco muro, piedra y ricas maderas,
a la orilla de este verde tumbo, de este oleaje poderoso.

Todavía la vieja dirigencia y los nuevos poderes que han crecido en las últimas décadas quisieran repartirse a Colombia, y hasta sueñan con fanatizar de nuevo al país a favor de uno o del otro. Pero el país que intentaron por años contener en el lecho de Procusto habrá crecido demasiado para caber en la caja registradora de la vieja aristocracia, en la caja de pino de la nueva. Y entonces veremos si ellos están solos, decidiendo como en los últimos doscientos años la suerte del país, o si hay alguien más que sea capaz de abrir, cuando la historia llame a la puerta.

Planeta

España
Av. Diagonal, 662-664
08034 Barcelona (España)
Tel. (34) 93 492 80 00
Fax (34) 93 492 85 65
Mail: info@planetaint.com
www.planeta.es

Paseo Recoletos, 4, 3.ª planta
28001 Madrid (España)
Tel. (34) 91 423 03 00
Fax (34) 91 423 03 25
Mail: info@planetaint.com
www.planeta.es

Argentina
Av. Independencia, 1668
C1100 Buenos Aires
(Argentina)
Tel. (5411) 4124 91 00
Fax (5411) 4124 91 90
Mail: info@eplaneta.com.ar
www.editorialplaneta.com.ar

Brasil
Av. Francisco Matarazzo,
1500, 3.º andar, Conj. 32
Edificio New York
05001-100 São Paulo (Brasil)
Tel. (5511) 3087 88 88
Fax (5511) 3087 88 90
Mail: ventas@editoraplaneta.com.br
www.editoriaplaneta.com.br

Chile
Av. 11 de Septiembre, 2353, piso 16
Torre San Ramón, Providencia
Santiago (Chile)
Tel. Gerencia (562) 652 29 43
Fax (562) 652 29 12
www.planeta.cl

Colombia
Calle 73, 7-60, pisos 7 al 11
Bogotá, D.C. (Colombia)
Tel. (571) 607 99 97
Fax (571) 607 99 76
Mail: info@planeta.com.co
www.editorialplaneta.com.co

Ecuador
Whymper, N27-166,
y Francisco de Orellana
Quito (Ecuador)
Tel. (5932) 290 89 99
Fax (5932) 250 72 34
Mail: planeta@access.net.ec

México
Masaryk 111, piso 2.º
Colonia Chapultepec Morales
Delegación Miguel Hidalgo 11560
México, D.F. (México)
Tel. (52) 55 3000 62 00
Fax (52) 55 5002 91 54
Mail: info@planeta.com.mx
www.editorialplaneta.com.mx
www.planeta.com.mx

Perú
Av. Santa Cruz, 244
San Isidro, Lima (Perú)
Tel. (511) 440 98 98
Fax (511) 422 46 50
Mail: rrosales@eplaneta.com.pe

Portugal
Planeta Manuscrito
Rua do Loreto, 16-1.º Frte.
1200-242 Lisboa (Portugal)
Tel. (351) 21 370 43061
Fax (351) 21 370 43061

Uruguay
Cuareim, 1647
11100 Montevideo (Uruguay)
Tel. (5982) 901 40 26
Fax (5982) 902 25 50
Mail: info@planeta.com.uy
www.editorialplaneta.com.uy

Venezuela
Final Av. Libertador con calle Alameda,
Edificio Exa, piso 3.º, of. 301
El Rosal Chacao, Caracas (Venezuela)
Tel. (58212) 952 35 33
Fax (58212) 953 05 29
Mail: info@planeta.com.ve
www.editorialplaneta.com.ve

Grupo Planeta   Planeta es un sello editorial del Grupo Planeta   www.planeta.es